D0432740

FOUT

J.Th.M. Houwink ten Cate
N.K.C.A. in 't Veld

Getuigenissen van NSB'ers

Sdu Uitgeverij Koninginnegracht 's-Gravenhage 1992

Alle foto's zijn afkomstig van het Rijksinstituut voor Oorlogsdocumentatie te Amsterdam.

Ontwerp: Wim Zaat, Moerkapelle
Zetwerk: Velotekst (B.L. van Popering), Den Haag
Druk en afwerking: A-D druk, Zeist

ISBN 90 12 06600 X

Inhoud

Voorwoord

Het woord 'fout' heeft twee betekenissen. Wanneer een kind in de schoolbanken het verkeerde antwoord geeft, is dat fout. De juf of de meester weten wat het goede antwoord is; alle andere antwoorden worden niet goed gerekend en zijn dus fout. Als de gedragingen van een volwassene in de oorlogsjaren worden beschouwd als strijdig met de belangen van de vechtende Nederlandse politieke gemeenschap, was hij of zij fout. Fout is in dit geval het collectieve oordeel over een landgenoot, die dermate heeft gefaald als burger dat het vertrouwen in deze persoon wordt opgezegd. Tegenwoordig wordt iedere vorm van hulpverlening aan de vijand en niet alleen de strikt politieke collaboratie, fout in deze zin genoemd. Talloze vormen van collaboratie komen in dit boek niet aan de orde. Er staat niets in over 'foute' ambtenaren, zakenmensen en intellectuelen.

Dit boek naar de gelijknamige TROS-tv-documentaire van Wim Bosboom gaat over NSB'ers. Sinds het uitbreken van de oorlog gelden zij als 'fout' bij uitstek: politieke collaborateurs die na afloop van hun gevangenschap de status van staatsburger per definitie moest worden ontzegd en is ontzegd. Ongerechtvaardigd is dit niet, zolang men als norm voor het oordeel de wettigheid van de Londense regering in ballingschap hanteert.

Dat de leden van de NSB de vijand hebben geholpen, staat voor de samenstellers van dit boek buiten kijf. De NSB'ers die in dit boek aan het woord komen, ontkennen trouwens ook niet dat zij dit hebben gedaan. Wel proberen zij hun gedragingen te bagatelliseren, te nuanceren, te motiveren en te rechtvaardigen. Niets menselijks is hun vreemd.

De geïnterviewde leden van de NSB hebben jarenlang gezwegen. De NSB'ers zijn in de openbaarheid paria's geworden en gebleven, ook nadat hun straf was beëindigd. Daarna is hen een privé-leven gegund en aan hun mogelijkheden tot beroepsuitoefening is niet principieel getornd. Maar lange tijd nadat zij formeel weer staatsburger werden, was er geen denken aan dat zij voor een groot publiek in hun eigen woorden konden beschrijven wat zij hadden gedaan en waarom. Zij wilden dit ook zelf niet, en sommige ex-NSB'ers willen het nog steeds niet omdat zij vrezen dat dit voor hen nadelig zal zijn. Dat voormalige NSB'ers – sommigen van hen onherkenbaar gemaakt en onder gefingeerde naam – bereid waren zich te laten filmen is bijzonder en heeft veel gevraagd van de researchvaardigheden en het doorzettingsvermogen van Rose Marijne van de Hulst (TROS). Hiervoor zijn wij haar zeer dankbaar.

In de diepere redenen waarom NSB'ers van het scherm werden geweerd dan wel weigerden op te treden, hebben de samenstellers van dit boek zich niet bijzonder verdiept. In dit verband is wel gesproken van maatschappelijke intolerantie en van een typisch gebrek aan innerlijke overtuiging van NSB-kant. Dit zijn grote woorden. Wel is waar dat omroeporganisaties zelden worden beloond voor het nemen van risico's. Des te meer valt het in de TROS te prijzen dat deze produktie kon worden gemaakt. Dat NSB'ers bang zijn dat zij na openbare optredens lastig worden gevallen, zegt niets over de aard van hun trouw aan een ideaal van een halve eeuw geleden. Hoe zij nu op dat ideaal terugkijken, blijkt uit dit boek.

Het praktische gevolg van het feit dat deze produktie pas vijftig jaar na de oorlog is gemaakt, is wel dat alleen NSB'ers konden worden geïnterviewd die toen jong waren. Ook om deze reden hebben onze zes getuigen niet over werkelijke machtsposities in de beweging beschikt. Het leven aan de top van de partij kennen zij op één uitzondering na niet uit persoonlijke ervaring. Van een getuige die dit leven aan de top van zeer nabij heeft gekend, mw. F.S. Rost van Tonningen-Heubel, zijn wel opnamen gemaakt, maar wat zij aan de makers van deze produktie te vertellen had, stelde teleur. Bovendien mocht verondersteld worden dat een optreden harerzijds opnieuw zou leiden tot een maatschappelijke discussie over de media en het neo-nazisme; een discussie waartoe film en boek naar onze overtuiging op zichzelf geen aanleiding bieden. Bij de beslissing het in Velp gefilmde materiaal niet te gebruiken in documentaire en boek woog eerlijk gezegd nog zwaarder, dat een groot aantal van de getuigen, zo niet alle, onoverkomelijke bezwaren koesterde tegen een bijdrage van de weduwe Rost van Tonningen-Heubel. De keuze tussen deze weduwe of de andere getuigen was niet moeilijk.

De antwoorden van de getuigen op de door Wim Bosboom na overleg met de redacteuren gestelde vragen, veelal 'leading questions' om de getuigen tot duidelijker uitspraken te dwingen, geven een indruk van de motieven, gedragingen en lotgevallen van de 'gewone' NSB'ers. 'Op de vraag wat de zin van hun leven is', antwoorden zij als ieder ander 'met een opsomming van [hun] levensloop', die zij, zoals György Konrád, 'als een dodelijk vermoeid dier achter zich aan slepen'.

Is wat deze kleine groep leden van de voormalige NSB te vertellen heeft over hun denken en doen wel van belang? Zijn hun levens onze aandacht waard? Deze vraag raakt het hart van dit boek en de gelijknamige documentaire. Voor degenen, die vaak zéér goede persoonlijke redenen hebben om nooit meer aan de oorlog en de bezetting terug te willen denken, zijn hun verhalen inderdaad zonder enige betekenis, evenmin als alle geschiedschrijving over de oorlog, het nazisme, de terreur en de massamoord. Vanzelfsprekend respecteren de samenstellers dit standpunt, dat geboren is uit persoonlijk verdriet en bitter noodzakelijke zelfbescherming.

Daarmee is niet gezegd dat wat degenen die tijdens de oorlog aan de andere, 'foute' kant stonden, te zeggen hebben van geen enkel belang zou zijn. Het hoeft nauwelijks betoog dat de enthousiaste toeloop van miljoenen mensen op het nationaal-socialisme één van de belangrijkste aspecten van de twintigste-eeuwse tragedie is. Tenzij men wil aannemen dat al deze mensen, onder wie de veel meer dan honderdduizend leden van de NSB, door een misdadige aanleg bepaald waren om 'fout' te worden, is de getuigenis van deze mensen, hoe onzinnig of verwerpelijk die ons ook moge schijnen, van betekenis. Hoe men hun visie op het eigen leven interpreteert en met andere bronnen vergelijkt, is een zaak van de historische wetenschap.

Zonder toelichting onzerzijds wilden wij deze getuigenissen echter niet voorleggen. Aan ieder hoofdstuk van dit chronologisch geordende boek gaat daarom een commentaar van een van de redacteuren vooraf. Deze commentaren zijn gebaseerd op de historische vakliteratuur maar zijn niet uitputtend. Niet op iedere onjuistheid of twijfelachtige bewering van de getuigen is ingegaan. Dit leek ons praktisch niet doenlijk en zou het boek onleesbaar hebben gemaakt. Wij besluiten met een kort overzicht van de politieke geschiedenis van Mussert's NSB, waarin de commentaren, aangevuld met andere relevante gegevens, in één samenvattend historisch perspectief zijn geplaatst. Hierin wordt bovendien verwezen naar de belangrijkste historische literatuur. In deze literatuur vindt men ook de in de commentaren geciteerde passages terug.

De tekst van de getuigenissen hebben wij zo veel mogelijk intact gelaten. Het gaat in dit boek juist om deze getuigenissen van leden van de voormalige NSB en om hun interpretatie van het eigen verleden. Niettemin moest terwille van overzichtelijkheid en leesbaarheid geredigeerd worden: interviewfragmenten moesten soms worden verplaatst en af en toe moest ook in de tekst enigszins – zij het minimaal – worden ingegrepen. Bij de getuigen Driessen en Van der Veen zijn enige korte passages, die tweemaal werden opgenomen, gecombineerd. Afgezien van deze kleine ingrepen is door ons niet gekozen voor een geschoonde, vlot leesbare tekst. Vooral de verklaringen van Van der Veen in diens Duits-Nederlands (in de documentaire met een onmiskenbaar Drents accent uitgesproken) blijven lastig. Een grammaticale en stilistische verbetering van de tekst zou hebben geleid tot een zeer groot aantal wijzigingen in de tekst, zoals deze door de getuigen is uitgesproken, en daarmee de authenticiteit te niet hebben gedaan. Daarom is ook de interviewvorm gehandhaafd.

Behalve aan de getuigen, die hier aan het woord zijn gekomen in weerwil van hun vrees daardoor geschaad te kunnen worden, willen wij onze dank uitspreken aan vele anderen, die door hun bereidwilligheid de produktie van documentaire en boek in beginsel mogelijk hebben gemaakt. Deze dank geldt in het bijzonder Max Appelboom, die het team bijeenbracht dat drie jaar geleden aan deze produktie begon.

J.Th.M. Houwink ten Cate
N.K.C.A. in 't Veld

1
Leden van het keurkorps

De Nationaal-Socialistische Beweging wilde een keurkorps zijn. Wie tot dit keurkorps wilde behoren, moest een hiërarchische ballotage ondergaan, waarbij uiteindelijk door het Utrechtse Hoofdkwartier werd beslist of men lid mocht worden of niet. Volgens de richtlijnen moesten NSB'ers ten minste achttien jaar oud zijn en de Nederlandse nationaliteit bezitten. Zij moesten mondig zijn, dat wil zeggen niet onder curatele staan, en mochten geen lid zijn van een andere politieke partij. Personen met een crimineel verleden werden in de regel geweerd. Het gedrag van partijleden in spe moest zedelijk zijn.

De getuigen die in dit boek aan het woord komen, hebben blijkbaar aan deze voorwaarden voldaan. Aan hen is meer dan vijftig, bijna zestig jaar geleden een lidmaatschapsboekje uitgereikt, waarin op soldateske staccato-toon de rechten en plichten van het NSB-lid werden omschreven: 'Nationaal-Socialist zijn betekent: Strijden! Dienen! Offers brengen! Voorbeeld geven!'

Deze zes Nederlanders, allen mannen, werden lid van een aanvankelijk snel groeiende beweging. Toen de eerste onder hen, Zijlmaker, in 1932 lid werd, telde de NSB nog geen duizend leden. Aan de vooravond van het grootste verkiezingssucces, de verkiezingen voor de Provinciale Staten in 1935 (acht procent van de stemmen), waren er al 36 000 kameraden. Het hoogtepunt van 55 000 leden werd medio 1936 bereikt. De vier procent van de stemmen die de NSB bij de verkiezingen voor de Tweede Kamer van 1937 haalde, betekenden een nederlaag en in de lente van 1939 was het ledental van de NSB weer terug op het niveau van eind 1934. Twee getuigen kozen naar alle waarschijnlijkheid voor de NSB toen deze partij de wind mee had. Drie anderen werden vermoedelijk lid toen de NSB al over het hoogtepunt heen was.

Representatief voor de Beweging is dit groepje van zes getuigen niet. Niet alleen is deze 'steekproef' te klein, zij is ook niet willekeurig. De mannen die voor de tv-documentaire en dit boek werden geïnterviewd, waren jong toen zij lid werden; degenen die voor de oorlog op wat latere leeftijd voor de NSB kozen, zullen veelal niet meer in leven zijn. Bovendien vertegenwoordigen de getuigen eerder de minderheid van de NSB'ers, die de partij trouw gebleven is. Tweederde van de leden die in de jaren 1932-1939 werden ingeschreven, had in 1940 de radicaliserende NSB alweer vaarwel gezegd. De toenemende bewondering voor Hitler-Duitsland in de Beweging en de jodenhaat die in de NSB om zich heen greep, zijn daar niet vreemd aan geweest. In dit boek ontmoet men dus leden die in loyaliteit jegens de NSB en de Leider duizenden andere hebben overtroffen.

De Leider was ir. Anton Adriaan Mussert, hoofdingenieur van de waterstaat in Utrecht. De getuigen wisten wie hij was en wat hij wilde: een 'krachtig staatsbestuur, zelfrespect van de natie, tucht, orde, solidariteit van alle bevolkingsklassen en het voorgaan van het algemeen (nationaal) belang boven het groepsbelang en van het groepsbelang boven het persoonlijk belang'. Dit was het 'Leidend Beginsel' van de NSB. Het parlementaire systeem maakte in Mussert's ogen een slagvaardig nationaal beleid onmogelijk. Het had toegelaten dat linkse, antimilitaristische acties de kracht van de natie hadden ondermijnd. Bleek dit niet uit de muiterij op de kruiser De Zeven Provinciën in 1933 en uit de overval op het fort in Curaçao enkele jaren eerder? Noodzakelijk was een versterking van het leger en een oplossing voor het probleem van de werkloosheid. De wens hiertoe sproot naar zijn zeggen voort uit liefde voor het vaderland: 'De liefde tot de natie in zijn geheel, dat is socialisme, dat is het zuiver nationaal gevoel...'

Historisch onderzoek heeft uitgewezen dat de NSB'ers afkomstig waren uit vrijwel alle lagen van de bevolking, zij het dat waarschijnlijk naar verhouding veel zelfstandige middenstanders en boeren tot de beweging zijn toegetreden. De getuigen die naar hun achtergrond is gevraagd, zijn naar eigen zeggen merendeels afkomstig uit deze milieus. Hun uitlatingen lijken het beeld van de NSB als politieke beweging van de lagere middenklasse te bevestigen. Het cliché dat alle NSB'ers gefrustreerde pechvogels waren, die tijdens de crisis van de jaren dertig hun plaats in de maatschappij hadden verloren, valt moeilijk te toetsen. Onder de getuigen is een banketbakker, die nooit werkloos is geweest, en ook de in het Gooi opgroeiende zoon van een directeur van een Amsterdamse hypotheekbank. Andere getuigen, onder wie de Drentse boer, verwijzen met meer nadruk naar de armoede van de crisisjaren; of zij werkelijk armer waren dan anderen, valt nu niet meer te beoordelen.

De tweede vraag die in dit hoofdstuk aan de orde komt, is die naar het motief, de bewuste reden om lid te worden van een extreme partij als de NSB. Wetenschappelijk onderzoek naar deze kwestie is bij gebrek aan bronnen niet gedaan; een betrouwbare achtergrond waartegen de beweringen van onze getuigen geplaatst kunnen worden, ontbreekt. Zij geven uiteenlopende redenen voor hun toetreding, waarbij politiek-ideologische overwegingen vaak de doorslag gaven. De aanleiding kon niettemin zeer triviaal zijn, een verliefdheid bijvoorbeeld, de invloed van een neef of de kennelijk fraaie insignes van de Nationale Jeugdstorm, de jeugdorganisatie van de NSB.

Deze uit geüniformeerde schoolkinderen bestaande mantelorganisatie, waarin werd gefulmineerd tegen de sociaal-democratische Arbeiders Jeugd Centrale, kwam al snel na de oprichting in 1934 in aanraking met justitie over de vraag of naast de Weer-Afdeling (WA), een weerkorps dat door de regering een tijdlang was getolereerd, niet ook de Jeugdstorm onder het uniformverbod viel. In tegenstelling tot de WA werd de Jeugdstorm niet opgeheven, maar omgezet in een pseudo-democratische Vereniging Nationale Jeugdstorm. De Hoge Raad liet dit toe, omdat naar zijn oordeel een vereniging welke streefde naar een geest 'in overeenstemming met de grondslag "Vreest God, eert de Koning!" geen vereniging is, die streeft naar een bepaald staatkundig doel'.

Voor zover door de getuigen een doelbewuste politieke keuze werd gedaan, motiveren zij deze als een verdediging en een reactie. Zijlmaker, die voordien lid was van een van de kleinste antidemocratische groeperingen, het Verbond van Nationalisten, zegt dat links verraad pleegde aan de staat; de NSB verdedigde de staat hiertegen. Onvrede over de crisis en de armoede motiveerde met name de Drentse boer Van der Veen, die evenals vele andere streekgenoten via de regionale organisatie 'Landbouw en Maatschappij' in NSB-vaarwater kwam.

Andere getuigen spreken graag in nogal algemene, idealistische termen: liefde voor het vaderland, afkeer van het internationale communisme, koningsgezindheid, sociaal gevoel. Het kan hen echter niet onbekend zijn dat deze sentimenten en idealen, die zij aan zichzelf en aan de omgeving waarin zij zijn opgegroeid, toeschrijven, ook door vele andere Nederlanders gevoeld werden. Zij neigen ertoe niet de aandacht te vestigen op de NSB-programmapunten die omstreden waren, en zij accentueren de credo's waarover een brede consensus bestond. Een versluiering die al tot uitdrukking kwam in het motto 'Vreest God, eert de Koning' van de in schijn gedemocratiseerde Jeugdstorm. Doordat zij zich beperken tot algemeenheden, maken de getuigen eigenlijk niet duidelijk waarom zij lid werden van de beweging, waarom zij tot een zelfbenoemde elite wilden behoren.

Alleen de laatste getuige in deze reeks geeft onomwonden toe dat het autoritaire karakter van de staat die de NSB voor ogen stond, voor hem de doorslag gaf. Juist in haar bewust autoritaire karakter onderscheidde de NSB zich van de andere politieke partijen.

GETUIGENISSEN

J. Zijlmaker

WB: Meneer Zijlmaker, u komt eigenlijk voort uit de hele vroegere fascistische bewegingen.
Ja, dat is inderdaad waar. Maar eigenlijk is de hele geschiedenis veel vroeger begonnen. Namelijk in 1892 toen mijn grootvader de anti-sociaal-democratische vereniging van spoorwegpersoneel oprichtte, die koninklijk goedgekeurd werd door koningin Emma. En die ervoor gezorgd heeft dat in 1903 de spoorwegstaking gebroken werd.

WB: Maar nu uzelf. Hoe bent u eigenlijk met het fascisme in aanraking gekomen?
Ja, ikzelf ben dus met fascisme in aanraking gekomen, doordat na mijn studietijd dat ik mij aangesloten heb bij de vereniging van nationalisten onder [C.H.A.] van der Mijle en [C.J.] van Eijsden. Deze was al enkele jaren werkzaam in deze richting en dat was de enig goedgekeurde fascistische vereniging in Nederland.

WB: En waarom werd U daar lid van?
En daar werd ik lid van naar aanleiding van het feit dat er in de politiek niets gedaan werd tegen de ophitsing tot staatsverraad door communisten en sociaaldemocraten, waarbij geëist werd: 'Indië los van Holland nu'.

WB: Toen bent u dus zeg maar fascist geweest en hoe bent u nu terechtgekomen bij de NSB?
Deze kwestie heeft zich dus voorgedaan in 1932. Toen kwam bij deze vereniging, het Verbond van Nationalisten, kwam een zekere meneer Gulden, ook Consul der Nederlanden in Essen, die vertelde van hoe het precies in Duitsland was gegaan en hoe deze opkomst van de hele Hitlerbeweging zich had toegedragen. En dit had dus ten gevolge dat een hele groep jongeren van het Verbond van Nationalisten op de grens van '32 en 1933 zijn overgegaan naar de NSB.

Deze meneer Gulden wees op de schandelijke toestanden die er in Nederland bestonden ten aanzien van het beleid van de regering met betrekking tot de werkelozen en dat daar toch eigenlijk iets aan gedaan moest worden, zodat zij een menswaardig bestaan moesten hebben. En die ging er vanuit dat er vele dingen in de democratie niet waren zoals het behoorde en dat men, ieder mens voor zich, de plicht had om als christen zich ook zodanig te gedragen en bevestigend te antwoorden op de vraag: ben ik mijns broeders hoeder?

WB: Ben u actief geworden toen, in de NSB?
En toen ben ik dus direct actief geworden in de NSB.

WB: Wat voor functies heeft u gehad?
Ik heb in de NSB de functies gehad van blokleider, groepsadministrateur, groepsleider, waarnemend districtsleider van de Algemeen Toezicht Leden in

Gelderland en Overijssel, en lid van de Ereraad, Strijd en Offer, en nog vele andere functies meer.

WB: Dat Algemeen Toezicht Leden, wat deed die instantie?

Ja, in zo'n beweging wordt er altijd enorm geroddeld. En daar ontstaan alle mogelijke animositeiten onderling die bij een tijdig ingrijpen de goede sfeer in een organisatie niet hoeven te bederven. En nu was Algemeen Toezicht Ledenorganisatie om dus deze roddel binnen de perken te houden en dus vroegtijdig te signaleren.

Er was dus een grote vrijheid van denken binnen de Nationaal-Socialistische Beweging. Men had dus allerlei mogelijke richtingen, mits men maar op een gegeven ogenblik zich hield aan de regel dat men niet deelnam aan criminele politiek.

WB: Ja, en wat was dat dan, een criminele politiek?

Een criminele politiek was de kwestie van de propaganda die er van de zijde van het communisme en van de zijde van de sociaal-democratie werd ondernomen om het alvast bespreekbaar te maken dat Indië zou worden opgeofferd met de leuze: 'Indië los van Holland nu.' En dat werd dus gezien als ophitsing tot staatsverraad.

W.F. van de Berg

WB: Meneer Van de Berg, u voelde zich voor de oorlog heel erg aangetrokken tot de NSB. Hoe kwam dat?

Ja, hoe kwam dat? Dan zou ik moeten beginnen, eigenlijk gezegd... Ja, waar ben ik geboren hè, ik ben geboren in IJmuiden en... aan de blanke top der duinen, mijn moeder was echt een derver, daar was zij geboren, mijn vader was een Amsterdammer en de hele familie was daar Marine, Marine. En als kind zijnde heb ik op school alle vaderlandse liederen, tot en met, ook het 'Wie neerlands bloed', van Tollens. Ja, en zo ben je katholiek, ik was van huis uit katholiek. En mijn moeder, dat kan ik gerust zeggen, heeft ons christelijk groot gebracht; sociaal denkend. En in de loop der jaren zag je die troep, die er in Nederland allemaal was.

En ik leerde toen de NSB kennen, je zag wel eens mensen met een oranje dingetje op, maar ik wist eigenlijk niet wat het was. Maar naderhand begreep ik: hé, dat was het NSB. Toen ben ik eens gaan kijken. En toen zag ik dat hunkeren naar iets, naar nationaal bewust zijn. Ja, en omdat ik van de Marine, van mijn vaders kant en van mijn moeders kant, ook een echte Hollander, nou dan trok me dat geweldig. En zodoende, en dat was 1933 zo'n beetje, dat ik begon te kijken: wat doen die lui. En toen ben ik 1935, ben ik lid geworden van de NSB, en toen is het eigenlijk ontstaan, laten we maar liever zeggen: gegroeid.

WB: Kreeg u toen functies in de partij?
Nee, ik was nog een snotneus, ik was toen een broekie. Ik was toen ik achter Mussert aan ging was ik 19 en in 1935 lid geworden, dus toen was ik net 21 en ik had geen [?], ik was bakker, banketbakker.

A.Z. de Munck

WB: Goed, we gaan even terug naar een periode van voor de oorlog. Wat was nou voor u de aantrekkingskracht van de NSB?
Ja, dat zal ik u vertellen: wij zijn vanaf de schoolbanken zijn wij antilinks, anticommunistisch opgevoed en heel fel nationalistisch en heel fel koningsgezind.

WB: Dat was bij u in het gezin.
Dat was niet in het gezin, dat was op school heb ik gezegd. Dat was geen bijzondere school, daar was het zeer zeker zo, bij de rooms-katholieke en de protestantse scholen, maar dat was een openbare school.

WB: U voelde zich aangetrokken dus.
Ja, er werd je vaderlandsliefde bijgebracht. Ik hoorde op de radio eens een meisje uit Israël, en dat was op negenjarige leeftijd gaan emigreren. Ze zegt: 'Ik ben zó van m'n tweede vaderland gaan houden, ik heb wel eens gedacht: ik wou dat er iets verschrikkelijks gebeurde dat ik kon tonen dat ik bereid was mijn vaderland te dienen of er iets voor te doen.' En ik dacht: nou, die gedachte heb ik ook gehad toen ik zo jong was.

WB: U bent op een gegeven moment zich gaan aansluiten.
Nou, gaan aansluiten. Kijk, het was natuurlijk zo, er was enorm veel armoede, daar waren we ook zelf het slachtoffer van. Het is jammer dat ik het niet uitgebreid kan vertellen want dat zou zeer interessant zijn en ook wel komiek zijn. Maar, het was zo dat wij zijn begonnen met de hervormde stadszending.

WB: U was bij de hervormde kerk?
Hervormde stadszending was dat. En ja, daar waren ze ook nationalistisch en koningsgezind, trouwens alle christenen en katholieken waren dat. En met die knapenvereniging zijn we nog meegeweest naar de opening van het Olympisch stadion, daar brachten we de olympische groet. En...

WB: Dat had niks met de NSB te maken.
Nee, natuurlijk niet.

WB: Maar wanneer kwam dat dan?
Toen zijn we een poosje in de padvinderij geweest, dat was heel fijn en dan kon

je enorm veel leren met seinen en dergelijke dingen. Maar dat was te duur en dat konden we niet betalen en die uniformen waren veel te duur. En toen ontmoette ik, en dat is eigenlijk het begin van die hele periode geweest, toen ontmoette ik een vriendje van de lagere school. Ik was inmiddels op de middelbare school, namelijk de Amstelschool waar laatst, hoe heet-ie ook al weer, het over had... Koos Postema had het over de Amstelschool, daar ben ik ook geweest, in '37 heb ik eindexamen gedaan.

En die had een insigne, vijfpuntig, oranje, met een blauw veld en een witte meeuw. En er stond op: 'Nationale Jeugdstorm'. Nou ja, alleen de naam fascineerde je al hè. Ik zeg: 'Wat is dat voor een club?' 'Nou,' zegt hij, 'het is fantastisch, we gaan er van alles leren: netjes marcheren voor wandelmarsen en zo en kamperen en zo nog wat en boksen en allerlei sport.' Dus ik heb me daarmee in verbinding gesteld en toen ben ik daar lid van geworden. Maar we hadden nog geen uniform, we wisten helemaal niet eens hoe het eruit zag.

WB: *Was daar beïnvloeding van politieke aard?*
Nee, absoluut niet, in tegenstelling met de AJC. Ik heb veel vrienden gehad op school, daar denk ik met vreugde aan terug, die waren lid van de AJC maar die werden wel, geïndoctrineerd is te veel gezegd, maar die hadden wel een politieke opleiding. Wij helemaal niet, want als we over Mussert spraken, het zei ons niets, en NSB wisten we ook niets van. We mochten ook niet naar NSB vergaderingen beneden ons achttiende jaar. Dat hebben we stiekem weleens gedaan. En...

WB: *Maar wanneer kwam die belangstelling voor laten we zeggen de politieke opvattingen van de NSB bij u?*
Nou kijk, ik leerde daar mijn eerste liefde kennen, hè. Dat is het mooiste moment van je hele leven, want dat krijgt een hele andere samenstelling bloed. Dat is zo iets fantastisch, als ik dat zou moeten beschrijven. Nou en... ik leerde dat meisje kennen en die was ook in de Nationale Jeugdstorm. Maar dat mocht niet hè, want op een gegeven moment werd mijn en haar moeder verzocht op het hoofdkwartier van de Jeugdstorm te komen en toen zeiden ze: 'Kijk eens aan, we hebben gemerkt dat uw zoon en uw dochter meer dan club-belangstelling voor elkaar hebben. We vinden ze op de eerste plaats veel te jong, maar dat is een zaak die u zelf moet bepalen, maar we waarschuwen u, mocht er iets fout gaan, dat u ons niet het verwijt kunt maken: "Jullie hebben die kinderen aan elkaar gekoppeld."' Nou, toen werd het verboden, het mocht niet van haar moeder en ja, mijn moeder verbood mij het niet, maar ze zei wel: 'Weet je wat opoe op Terschelling altijd zei?' Ik zei: 'Ja, die zei altijd: "Eerst wat wezen en dan een meisje zoeken."' Zo ging dat vroeger.

Nou ja, dat moet je nodig proberen te verbieden dus, ze zagen wel dat dat niet ging en op een gegeven moment zeiden die moeder en die vader natuurlijk: 'Nou, als jij zo van die jongen houdt, laat hem dan maar thuis komen, dan is dat geheimzinnige gedoe achter de rug.' Nou, en die lui die waren lid van het NSB.

Nou ja, dan bevind je je op het 'hellend vlak', dan 'verval je van kwaad tot erger'. Vraag het ze maar aan de Anne Frank Stichting, dat was een Klu Klux gangster beweging.

WB: Nee, dat was na de oorlog, die was er toen nog niet. Via dat meisje kwam u in de NSB.

Ja, en ik zag daar ontzettende fijne lui, en die waren offerbereid en die waren enthousiast. Dus van lieverlee, je kon beneden je achttiende jaar geen lid worden van het NSB, trouwens op je achttiende ook niet, ik weet niet of ze dat later gecontinueerd hebben, maar je werd voorlopig lid. En na twee of drie maanden, ze noemen dat geloof ik balloteren, dan kon je lid worden. Maar, en dat vinden we nu overdreven, al had je maar één crimineel feit op je geweten, bijvoorbeeld een fiets stelen, dan kon je geen lid worden van de NSB. Nou, en toen ben ik dus bij die NSB geweest...

H.R. van der Veen

Deze getuige, die afkomstig is uit Drente, is na de oorlog verhuisd naar Duitsland; hij spreekt nu een mengeling van Nederlands en Duits. In zijn beschrijving van het boerenleven in Drente tijdens de jaren dertig refereert hij behalve aan het prijspeil ook aan de zogenaamde kalverschetsen, identiteitsbewijzen die dienden ter registratie van de aantallen gehouden kalveren. Een kalverschets was een door de overheid gedrukte en verspreide tekening van een kalf, waarop de eigenaar de uiterlijke kenmerken van het dier aangaf.

WB: Meneer Van der Veen, wanneer bent u lid geworden van de NSB?

Ik ben in 1936 lid van de NSB geworden.

WB: En wat was uw beroep?

Mijn beroep was landbouwer, boer, dat ben ik ook immer gebleven.

WB: Waar was dat?

Dat was in Roden. Het boerenleven dat was zeer sober voor de oorlog. De prijzen waren ook minimaal. We leefden in die zogenaamde crisisjaren. Daar kostte de melk nog vijf cent, eieren twee, vette varkens tien, biggen twee gulden, zelfs heb ik ze wel verkocht voor vijftig cent.

WB: Kon je ervan leven als boer?

Ja, ze moesten ervan leven. Zeer sober. Dan gaf het 's avonds geen broodmaaltijd en dan gaf het aardappels met karnemelkse pap.

Dus het was een net soort armoede?

Het war armoede, alles war ook... De regering probeerde uit die crisis te komen door beperking van de rundveefokkerij. Zelfs de grootste boeren mochten vijf kalveren aanhouden, kleinere drie. Ook met biggen. De biggenfokkerij die zou ingekrompen worden. Alle boeren kregen biggenmarken, voor één of twee zeven, die een zeug had die kreeg veertien, die er twee had die kreeg achtentwintig. En die werden alle gemerkt, en daar was dan weer controle op. Controle op de kalverschetsen, dat er ook werkelijk niet meer aangehouden werden.

WB: Hoe komt het dat u lid werd van de NSB?

Ja, we leefden toen in die zogenaamde crisis. Ja alles was slecht, in Roden en Peize. We hadden vijf- bij zeshonderd werklozen. De hele situatie op het platteland die was zeer armoedig. En in Duitsland, daar kreeg je door de krant te lezen, daar ging alles daarop zo zelfs ... En ik kreeg toen, eerst was ik bij de Drentse Boerenbond, later bij de Landbouw en Maatschappij, en toen kreeg ik maal een brief van de NSB die de ganse economische toestand verbeteren wou. En ze zeiden erbij: 'We dragen allen een zwart hemd, we zijn kameraden.' Ik denk: dat moeten we hebben, kameraden, dat moeten we zijn. En zo kwam ik bij de NSB.

WB: En wat had de NSB te vertellen?

In die jaren van de NSB, die had te vertellen, zij wouden het platteland uit de sociale elend [ellende] heffen. Ze hadden inmiddels ook vier kamerleden. En voor mij was natuurlijk Gerardus Dieters, dat was een boer, een Drentse boer, die zat in de Tweede Kamer. Das war ja wat, dat er jetzt een werkelijke boer in zat.

WB: Maar heeft de NSB nou voor de oorlog dan ook daadwerkelijk wat gedaan voor de boeren?

Die kon ja niks. Die kon ja niks doen. Met alleen vier kamerleden konden ze praktisch niks doorzetten. Alleen propaganda natuurlijk geweldig. Die verhandelingen in de Tweede Kamer, als die aan het woord waren dan vlogen de Fetzen er vanaf [de stukken er vanaf]. Die hadden natuurlijk overal kritiek op.

WB: U nam ook deel aan die propaganda. Hoe ging dat?

Ja, in zoverre, met propaganda, pamfletten en brochures en we hadden dan zo'n krant, *Het Boerenfront*, en dat huis aan huis verspreiden.

WB: Uw familie, waren die ook lid?

Mijn moeder war lid, mijn vader niet. Die is ook nie lid gewesen. Ik had één broer die war lid, zijn vrouw die war lid, en alle [na de oorlog] in Westerbork [gevangen] gezeten.

WB: Hoe kwam het dat het hele gezin lid werd?
Ja, man en vrouw en die hadden één kind, nee, twee. Kleine kinderen werden de moeder afgenomen.

WB: Nee, nee, ik bedoel vóór de oorlog, we gaan terug naar voor de oorlog.
Ach so, voor de oorlog.

WB: Er werden hele gezinnen...
Nee, voor de oorlog werden er hele gezinnen... Heb ik niet meegemaakt.

WB: Dus uw gezin, het gezin waaruit u voortkomt, was fanatiek dan?
Ja, maar die waren ook voor de oorlog geen lid, alleen ik... Ik war de enigste, die voor de oorlog lid war. De anderen zijn in de oorlog lid geworden.

WB: Uw vader is nooit lid geworden. Waarom eigenlijk?
Dat weet ik niet, dat wou hij niet. Hij war wel duitsgezind, net als ik.

WB: Was Duitsland voor u het grote voorbeeld voor de oorlog?
Ja. Ja.

WB: Vertel daar eens wat meer over.
Ja, in zoverre, dat kan ik alleen maar zo zeggen: wel, in Duitsland, dat het platteland geweldig naar voren kwam. Dat stond ook in alle Nederlandse kranten. Boeren gingen het daar veel beter als bij ons. Dat war ook de reden: ja, zo moet het hier ook.

G.H. Driessen

WB: Uit wat voor gezin kwam u?
Een normaal gezin, een arbeidersgezin, een middenstandsgezin, daar tussenin.

WB: Ja, wat deed uw vader?
Die deed van alles, die was in het autobedrijf werkzaam, had een paar wagens zelf, taxibedrijfje.

WB: Was er armoede?
Nee, dat niet.

WB: Op een gegeven moment voelde u zich aangetrokken tot, zeg maar het nationaal-socialisme, fascisme enzovoorts. Hoe kwam dat, kunt u daar iets van vertellen, hoe dat begon?
Ik had een neef die was lid van de NSB geworden in '33 en daar hoorde ik het een en ander van. Nou op de middelbare school waren veel jongeren die voelden

zich ook tot het nationaal-socialisme aangetrokken. Er was een jongerengroep van de NSB en daar werd ik lid van. Daarnaast waren de meesten van die jongeren erg nationaal georiënteerd en er gebeurden toen nog al eens wat dingen, die de mensen vervelend vonden. De gouverneur van Curaçao die was ontvoerd door een stel bandieten uit Venezuela. Daarbij kreeg je de Zeven Provinciën-affaire, waarbij muiters gingen spelevaren met de Zeven Provinciën en dat bracht in nationale kringen veel onrust teweeg.

En als zodanig kwam de NSB als een reactie daarop. Daarnaast was het ook wel een generatieconflict van jongeren tegen de ouderen die de zaak in de soep lieten lopen, dat was althans de opvatting in die tijd.

WB: U had natuurlijk ook bij de padvinderij kunnen gaan.

Ja, maar die was niet zo nationaal georiënteerd als de jongerenbeweging van de NSB dat was.

WB: Hoe oud was u toen u zo'n beetje u aansloot?

Veertien jaar.

WB: Dus u werd Jeugdstormer.

Nee, de Jeugdstorm bestond toen nog niet, begin '34. De Jeugdstorm is pas in de herfst van '34 opgericht.

WB: Maar wat werd u dan voor lid, een soort kinderlid?

Nee, 'Stormer'.

WB: Ik begrijp het niet goed. U was veertien jaar. Als ik op veertienjarige leeftijd mij bij de Partij van de Arbeid meld, dan zeggen ze: ga eerst nog maar eens naar school.

Ja, er was een jongerengroep van de NSB. Die gaf een eigen maandblad uit, *Jongeren marcheren*, en ik denk dat in de leiding van de NSB men het toch verstandiger vond, om de jongeren, de jeugd, buiten de directe politiek te houden. Dat ze niet in politieke kwesties betrokken werden, maar zuiver, als u het zo wilt noemen, een soort nationale padvinderij inderdaad.

WB: Er werd toch wel over politiek gediscussieerd? Of helemaal niet?

Nee, in de Jeugdstorm niet nee; wel in de jongerengroep van de NSB, dat was dan zeer nationaal. Bijvoorbeeld de Marine moest versterkt worden, Indië moest sterk gemaakt worden. Dat waren eigenlijk de onderwerpen die daarin een grote rol speelden.

WB: Daar werd over gepraat.

Ja, in vormende zin.

WB: Hoe vonden uw ouders het?

Die waren neutraal in dat opzicht. Mijn vader werd zelf lid van de NSB naderhand. Maar die stonden daar niet afkerig tegenover.

WB: De buitenwereld ging zich verzetten tegen de NSB. Merkte u dat toen al?

Nou, het was zo, dat de NSB had veel kritiek bijvoorbeeld op de vakbonden, op de partijen en de reactie daarop was natuurlijk dat iedereen zich tegen de NSB verzette. Er werd bijvoorbeeld over de 'vakbonzen' gesproken, die over de ruggen van de arbeiders omhoog waren geklommen. Terwijl, in die tijd had de NSB nou niet zoveel arbeiders onder zijn leden, dat is later toch wel meer toegenomen, maar in die beginperiode nog niet. Om het zo uit te drukken zou je kunnen zeggen: het was een redelijk deftige beweging in allerlei kringen.

J.W.R. Kardoes

WB: Meneer Kardoes, uit wat voor gezin komt u?

Ik kom uit een gezin waar zes kinderen waren. Ik ben één van de zes dus, op één na de jongste zoon, er waren drie jongens en drie meisjes.

WB: En wat deed uw vader?

Mijn vader had een bank in Amsterdam, een hypotheekbank. We waren oorspronkelijk nogal welgesteld, we woonden in Hilversum. Mijn vader heeft in 1929, in de bekende crisis, nogal wat geld verloren, dus dat is niet altijd glorie gebleven.

WB: Was het een politiek bewust gezin?

Ik geloof amper. Mijn vader die zal zijn hele leven CHU gestemd hebben en mijn moeder, zonder enige twijfel, die was gereformeerd, antirevolutionair.

WB: Hoe oud was u ongeveer toen het nationaal-socialisme in Nederland zijn intrede deed?

Bewust, dat ik me daarvan bewust werd, was ik zestien. Toen kwam ik uit een kostschool, ik was op een kostschool in Doetinchem. Ik kwam weer in het Gooi en toen ging ik dus weer meer kranten lezen. Ik neem aan, dat dat een van de redenen is geweest waardoor ik me begon te interesseren voor het nationaal-socialisme en waarom ik me daarvoor interesseerde... Waarschijnlijk ook invloed van buren, misschien ook wel van mijn familie zelf... Ik was van mening dat het met de politiek of met de inrichting van de maatschappij in Nederland niet zo goed gesteld was en vooral voelde ik eigenlijk me geroepen om meer nationaal bewustzijn wakker te maken in mijn omgeving.

Ik was erg koningsgezind. Waarschijnlijk door wat ik las en wat ik hoorde was ik nogal beducht voor alles wat van linkse kant kwam, dat is waarschijnlijk de reden geweest waarom ik interesse kreeg voor ideeën van lieden die meenden dat we met de democratie eigenlijk op de verkeerde weg waren en dat we een sterker, krachtiger staatsbestuur zou moeten hebben, met minder geklets en met meer daden.

WB: *Nou is het natuurlijk een hele stap tussen dat ook vinden, en lid worden van een beweging die dat werkelijk nastreefde.*
Ja, maar die stap was voor mij niet moeilijk. Ik dacht dat de enige oplossing voor Nederland – want ik dacht toen absoluut uitsluitend aan Nederland –, dat die oplossing was een soort, het woord 'dictatoriaal' wil ik niet zeggen, maar een soort autoritair regime.

WB: *Maar toen kwam u in een club, de NSB.*
En dat bleek mij dat de NSB daar de aangewezen club voor zou zijn.

WB: *Maar toen kwam u, neem ik aan in een hele andere... U kwam uit een christelijk gezin en toen kwam u in die merkwaardige nationalistische cultuur van die NSB met vreemde groeten en... nou ja, het was allemaal heel anders, hè?*
Nou, dat was toen niet zo vreemd, in mijn omgeving waren er toen velen die zo dachten zoals ik. Ook velen, niet alleen jongens van mijn leeftijd, maar... dus de ouders daarvan. Ik had in het Gooi, waren er toch een heleboel mensen die bijzonder geïnteresseerd waren in die NSB. Ik praat nu over de jaren '34, '35.

WB: *Maar wat ik bedoel, u kwam uit een gezin waarin een bepaalde christelijke cultuur heerste en u kwam in een nationalistische groepering terecht met allerlei eigen gebruiken en gewoontes.*
Ja, maar we zagen er in ieder geval, ik niet, mijn moeder twijfelde waarschijnlijk daarover, maar we zagen daar niets on-christelijks in. U moet niet vergeten, het Leidend Beginsel van de NSB dat begint met Godsvertrouwen. Liefde voor volk en vaderland. En het voorgaan van het algemeen belang boven het groepsbelang en het voorgaan van het groepsbelang boven het persoonlijk belang. Dat was het Leidend Beginsel van de NSB dat overal gepubliceerd werd, wat natuurlijk slogans zijn, maar die me wel aanspraken. En dat had dus niets on-christelijks, het had iets rechts-nationaals.

En verder meende ik te ontdekken, de NSB was geen partij maar een beweging, dat men sociaal kon denken, misschien zelfs wel socialist kon zijn, zonder marxist te zijn. Ik zag dat dus als iets nationaals. En tevens, we hadden toen zeshonderdduizend werkelozen, tenminste kort voor de oorlog geloof ik dat dat het getal was, heel veel.

Het Leidend Beginsel.

Hagespraak op de Goudsberg bij Lunteren, 1937.

Wageningse WA in 1933.

Cornelis van Geelkerken spreekt de Nationale Jeugdstorm toe.

2

Voor Volk en Vaderland

Er is een tijd geweest dat de NSB een zekere, zij het beperkte populariteit genoot. Bij de statenverkiezingen in april 1935 behaalde de NSB bijna acht procent. In plaats van het begin van grotere successen, bleken deze verkiezingen het absolute hoogtepunt voor de NSB te zijn geweest. Daarna kwam de neergang. Het verzet kwam uit alle lagen van de verzuilde Nederlandse samenleving. Van communisten tot zelfs rechts-extreme kringen, vrijwel het gehele Nederlandse politieke spectrum keerde zich tegen een partij, die een imitatie en een karikatuur van de Duitse nazi-partij leek. Ook de pers en de kerken begonnen zich te weer te stellen. Maar het zou onjuist zijn de politieke teruggang van de NSB na 1935 alleen terug te voeren op de verzuiling van de Nederlandse samenleving. Ook buiten dat kader nam de weerstand snel toe.

De toenemende solidariteit van de NSB met Duitsland maakte dat de Nederlandse bevolking haar in gelijke mate identificeerde met straatterreur, rechteloosheid en antisemitisme. Dat de NSB in haar program minder een imitatie van de Duitse nazi-beweging was dan in haar uiterlijkheden, was nauwelijks van belang. Het program van de NSB werd zelden grondig bestudeerd. Wél zag men de uniformen, de laarzen, de mislukte poging tot een militaire stijl, kortom, het on-Nederlandse, Duitse gedoe. En aangezien Duitsland steeds meer als een gevaar voor Nederland werd onderkend, werd dus ook de NSB zo beschouwd.

Bij de kamerverkiezingen van 1937 behaalde de NSB slechts vier procent van de stemmen. Niet alleen slonk de stemmenaanhang van de NSB, ook het aantal leden liep terug. Bij de overgeblevenen ontwikkelde zich een houding die men het best kan beschrijven als de mentaliteit van een Gideonsbende: zij voelden zich onbegrepen en des te meer voelden zij zich de ware, zuivere kern van het Nederlandse volk, dat zich, helaas, zo verblind toonde. De buitenwereld zag meer de wrokkigheid, de rancune. In 1935 zette een voor de NSB hoogst ongunstige wisselwerking in. Hoe meer verzet hij ontmoette, des te feller stelde de NSB'er die niet uit de partij ging zich op en des te groter werd de kloof tussen hem en de 'andersdenkenden'.

De maatschappelijke druk op de NSB'ers nam toe. Over de partij kon grote onenigheid ontstaan tussen kennissen, vrienden en familieleden, persoonlijke relaties raakten verscheurd of verzuurd. Vele NSB'ers durfden niet meer voor hun politieke overtuiging uit te komen, uit vrees voor moeilijkheden op het werk of klantenderving. 'Broodroof' heette dat in het NSB-jargon. Men trok zich terug in de eigen NSB-kring, ook al was er daar van alles mis. Ruzies en persoonlijke vetes hadden in het algemeen dan wel geen politiek karakter, maar waren tekenend voor de sfeer in de NSB van die dagen. Legio waren de klachten van NSB-functionarissen over de conflicten in de partij, de slechte opkomst op vergaderingen en de onwil of angst om zich als NSB'er te manifesteren. Al voor de oorlog raakte de NSB in een politiek en geestelijk isolement; ook innerlijk raakte zij in verval.

De contacten met andersdenkenden beperkten zich vrijwel vanaf het begin tot confrontatie. Deze speelde zich voor een belangrijk deel op straat af, waar het tijdens het colporteren met bladen en brochures geregeld tot botsingen tussen NSB'ers en tegenstanders kwam. In de grote steden, de bolwerken van politiek links, kon de wedijver tussen de colporteurs uit de diverse richtingen uitlopen op scheld- en vechtpartijen, waarbij passanten zich niet onbetuigd lieten. Soms liep dit uit op een algemene knokpartij. De WA moest de colporteurs te hulp komen. Ondanks dat werd er af en toe hard op in geslagen. In 1933-1934 raakten – volgens de cijfers van de NSB – 91 kameraden gewond, 35 van hen in Amsterdam.

De herinnering hieraan is nog levendig bij onze getuigen. Jong als zij waren, speelden zij voor de oorlog geen rol van betekenis in de NSB. Van hen werd voornamelijk gevergd dat zij colporteerden met het propagandablad *Volk en Vaderland*, dat in januari 1933 voor het eerst verscheen. In 1935 had het blad 23 000 abonnees. De getuigen colporteerden, evenals de propagandisten van andere politieke partijen, uit plichtsbesef en overtuiging. Zij waren er van overtuigd dat grote successen mogelijk waren. Zij geloofden dat zij gelijk hadden en dat zij anderen van dit nationaal-socialistische gelijk konden overtuigen. Over de soms bloederige confrontaties spreken zij nuchter; zij pochen er niet op en zij klagen er niet over. Je wist dat dit kon gebeuren en je nam het op de koop toe. Dat er gewonden vielen, gold in de zienswijze van de NSB als een bewijs van het morele ongelijk van de niet-NSB'ers: de NSB was tegen politiek links en politiek links tuigde daarom eerlijke vaderlanders af.

Vele niet-NSB'ers denken wellicht met meer gemengde gevoelens terug aan de vooroorlogse NSB, die zich, met Rost van Tonningen en zijn *Nationale Dagblad* voorop, steeds meer profileerde als pro-Derde Rijk en anti-joods. De linkse tegenstanders, onder wie Meijer Sluyser (in *Volk en Vaderland* 'de jood Sluyser' genoemd), voerden felle propaganda tegen de NSB in het door SDAP en NVV uitgegeven blad *Vrijheid, arbeid, brood.* Hierbij werd gebruik gemaakt van informanten onder ontevreden oud-NSB'ers en werd gerommeld in de vuilnisemmers van het Algemeen Hoofdkwartier van de NSB.

Over de tegenkanting door andere partijen en organisaties, zoals 'Eenheid door Democratie' zwijgen de getuigen. Er wordt nauwelijks gerept van de oppositie tegen de NSB in met name katholieke en gereformeerde kringen. Volgens het bisschoppelijk mandement van 1936 was het stemmen op de NSB en elke andere actie voor de partij 'per se ongeoorloofd en zondig'. Onder de protestantse kerkgenootschappen kwam het bij de gereformeerden tot een officiële veroordeling van het nationaal-socialisme en de NSB.

Over conflicten in het privé-leven laten de getuigen zich vaag en enigszins bagatelliserend uit. Soms ontkennen zij dat in het ouderlijk huis, in het gezin en op het werk, waar veelal werd gezwegen over het NSB-lidmaatschap, zich problemen voor deden. Een enkeling geeft toe dat voorzichtigheid geboden was. Een ander zegt dat hij voor zijn politieke voorkeur uitkwam voor zover hem dat geen persoonlijk nadeel opleverde. Wat overweegt, zijn de gevoelens van trouw aan de Beweging en het optimisme over de toekomst van de NSB.

Vóór 1940 – denken de getuigen nu – was lang niet iedereen tegen hen; zij waren nog niet 'fout', zij werden nog niet voor landverrader aangezien, zij waren maatschappelijk niet geïsoleerd. Deze visie maakt de niet uitgesproken gedachtengang mogelijk, dat als de oorlog er niet zou zijn geweest, zij geen paria's waren geworden. Het lag niet aan de NSB, het lag aan de oorlog. In de eigen historische beleving van de vooroorlogse periode, komt voor onze getuigen het accent daarom juist te liggen op de maatschappelijke contacten met niet-partijgenoten. In de herinnering van de getuigen was hun keuze voor de NSB geen aanleiding tot persoonlijke breuken en maatschappelijke afwijzing. Het isolement kwam, zo lijken zij nu te menen, pas met de oorlogsjaren.

GETUIGENISSEN

Kardoes

WB: Kwam u er voor uit, dat u NSB'er was?

Zover dat me mogelijk was, zover dat me niet persoonlijk nadeel leek. Ik was toen ik zestien was nog op school, hier in Hilversum en dat was een christelijke school uiteraard, op een HBS en daar wist men wel dat ik dan fout was. Het woord 'fout' werd toen natuurlijk niet gebruikt, dat is pas in de oorlog gekomen. En daar waren bepaalde leraren die dat helemaal niet erg vonden, de meesten vonden dat niet zo best. Mijn leraar economie heeft daar vele debatten over gehouden, in de klas, wat eigenlijk wel leuk was. Het was een nette vent, maar een speldje op van de NSB of... Trouwens, officieel lid was ik nog niet, je moest geloof ik achttien jaar zijn, als ik het me kan herinneren.

WB: Maar toen u dat wel werd, heeft u toen veel met Volk en Vaderland gestaan?

Ja.

WB: Was dat moeilijk?

Dat was niet leuk, maar dat deed ik eigenlijk, als ik me dat goed herinner, graag. Ik vond dat het mijn plicht was.

WB: Heeft u vervelende dingen mee gemaakt, als u daar stond?

Enkele... Ik heb eens een keer, toen bij de verkiezingen, ik denk dat het de verkiezingen van '35 waren, toen heb ik in Amsterdam meegeholpen met voor die verkiezingsdag propaganda te maken. Toen liepen er dus door Amsterdam allemaal jongens met dat *Volk en Vaderland*-blad. En ze hadden er natuurlijk te weinig en ze hadden in de buurten gevraagd: 'Jongens, stuur wat van die mensen heen om te colporteren.' Ik heb ook naast een stemlokaal gestaan, dan stond ik naast een socialist en naast een communist. Ik herinner mij nog dat wij met die communist grapjes maakten over die socialist, misschien is dat een aanduiding dat het communisme en het fascisme elkaar ergens ontmoeten.

WB: Ja, dat gebeurde pas echt in 1940.

En dat is dan ook inderdaad misschien eens gebeurd ja.

WB: Nog even een onaangename ervaring, als u daar stond.

Ja, daar kwamen natuurlijk mensen voorbij. Toen riepen ze nog niet 'landverrader', maar 'schorem' of 'ik sla je op je bek' of 'pas maar op, straks...'. En nou ja, ik ben nooit met stenen bekogeld, ik ben nooit neergeslagen, ik ben uitgescholden wel, in Amsterdam speciaal ook. Er werd een tong uitgestoken, dat soort dingen. Maar dat hoorde erbij. Kijk, als je colporteerde wist je dat.

WB: Maar voelde u zich geroepen om iets uit te dragen?
Ik voelde ervoor om iets uit te dragen, ik dacht dat ik nuttig werk deed. Ik dacht dat ik eigenlijk de mensen bekeren kon. Ik dacht, als de mensen nou dat blaadje eens een keer lazen, dat ze daarin dingen zouden lezen die ze interessant vonden. Uiteraard was ik propagandist. Door met *Volk en Vaderland* te lopen ben je propagandist.

WB: De NSB had bij de Provinciale-Statenverkiezingen op een gegeven moment een aardig succes, acht procent, maar de eerstvolgende kamerverkiezing was het nog maar vier procent. Dus de ideeën die u uitdroeg, die sloegen niet aan.
Dat klopt... Waarschijnlijk is dat gekomen door de gebeurtenissen in Duitsland. Omdat men natuurlijk, en ik wil niet zeggen onterecht, de NSB op dezelfde lijn stelde als het nationaal-socialisme in Duitsland, en de hele propaganda was natuurlijk tegen Hitler, of tegen wat er in Duitsland gebeurde. Elke krant, misschien met uitzondering van *De Telegraaf*, gaf toch wel de nodige berichten over Duitsland weer. En men dacht, die jongens van de NSB, dat is gewoon een afspiegeling van de nazi-partij in Duitsland. Dus wat daar gebeurt krijgen wij straks ook en dat moeten we niet.

WB: Dus dat was niet zo.
In oorsprong zeker niet, maar het is zonder meer waar, dat wat er in Duitsland sinds de komst van Hitler gebeurde, heeft aangesproken op ons, en op toch wel een groot gedeelte van Europa. Wat er in Italië gebeurd is, Hitler heeft wel het een en ander gepresteerd in '33. Dat zullen we toch niet kunnen ontkennen. In dit land waar we het 'kwartje van Romme' hadden en een paar honderdduizend werkeloos. Dat sprak toch aan, dat je iets aan kan pakken. De Arbeidsdienst heeft wat gedaan, dat je niet kon studeren in Duitsland, voordat je eerst voor het volk, voor de gemeenschap een jaar moest werken, spitten. We hebben de autobanen er aan te danken. Dat waren dingen die spraken aan. Althans mij. En dan heb je misschien de neiging om de negatieve dingen die we kennelijk ook toen wel zagen, om die niet te willen zien, of die in elk geval niet belangrijk genoeg te vinden.

De Munck

WB: Moest u colporteren?
Nou, wij gingen wel mee ter bescherming van de colporteurs, omdat die vaak werden aangevallen hè. Tenminste, ik was geen vechtersbaas, maar alleen je aanwezigheid is vaak al voldoende natuurlijk. Trouwens, er werd veel minder gevochten dan nu. Ze zijn veel en veel minder fanatiek. Want daar op de hoek van de Kalverstraat en de Dam, daar stond onder andere [S.] Carmiggelt met *Vrijheid, arbeid, brood* en er stond iemand van ons met *Volk en Vaderland* en een ander stond er weer met een ander politiek blad. Maar ja, er kwam wel eens

canaille langs en die begonnen dan de een of de ander nogal eens te molesteren of wat dan ook. Maar dat viel echt wel mee hoor, dat was een storm in een glas water volgens mij.

Zijlmaker

Deze getuige, die wij later zullen tegenkomen als burgemeester van Renkum, geeft van zijn belezenheid blijk. Hij noemt de dagboekaantekeningen van de burgemeester van Wisch en Terborg in de oorlogsjaren, J.J.G. Boot, die zijn gepubliceerd onder de titel *Burgemeester in bezettingstijd* (Apeldoorn, z.j.). Verder verwijst hij naar De Jong's schatting van het aantal illegale werkers, zoals deze is vermeld in *Het Koninkrijk der Nederlanden in de Tweede Wereldoorlog.* In dit boek schat De Jong het aantal illegale werkers, zij die actief waren opgenomen in een vast organisatorisch verband, vóór september 1944 op vijfentwintigduizend. Daarnaast waren er enkele duizenden individuele saboteurs, meer dan 375 000 onderduikers, onder wie circa vijfentwintigduizend joden, en misschien wel honderd- of tweehonderdduizend gezinnen waarin die onderduikers korte of lange tijd opgenomen waren. Verder is van belang, dat vrijwel elk lid van een illegale organisatie in zijn omgeving personen had die hem hielpen. Volgens De Jong was de slagorde van 'het verzet' dus heel veel breder dan die van de georganiseerde illegaliteit.

WB: *U was dus erg actief. Heeft u ook staan colporteren?*
Ik heb dus ook gecolporteerd met *Volk en Vaderland.*

WB: *Was dat moeilijk?*
Dat was eigenlijk soms moeilijk, maar meestal, want we waren... Wanneer u het boek leest van burgemeester Boot, *Burgemeester in oorlogstijd*, dan zult u merken dat eigenlijk een groot deel van de bevolking helemaal niet achter de illegaliteit stond. En achteraf heeft de prof. Lou de Jong een getal genoemd van het aantal illegalen in geheel Nederland van ongeveer 35 000 mensen.

WB: *Ja, maar het gaat even... U staat langs de straat, u staat met Volk en Vaderland. De illegalen zeggen niks, dat is logisch, maar het gaat om al die honderdduizenden Nederlanders die wel afwijzend stonden tegenover de Beweging.*
Ja, maar dan had men natuurlijk hierbuiten geen last van. Ik heb dus wel gecolporteerd in Amsterdam, dat was dus voor '34 toen ik naar Wolfheze verhuisd ben. En daar waren dus inderdaad moeilijkheden wanneer men met *Volk en Vaderland* colporteerde of *Volk en Vaderland* in de bussen van verschillende mensen wierpen. Vooral dus in arbeidersbuurten, want dan ontstonden dus wel bepaalde veldslagen waarbij dan de zaak in die richting zich oploste, dat het een algemeen gevecht werd van mensen tegen elkaar. Waarbij dan nauwelijks

de colporteurs van de Beweging nog het eigenlijke doel waren, maar dan was het een algemene vechtpartij geworden.

Driessen

WB: Wat was uw vak in die dagen?
Nou, toen was ik nog op school.

WB: Toen u de school verliet, wat werd u toen?
Toen werd ik assistent-declarant op een expeditiekantoor.

WB: Heeft u toen toegegeven dat u NSB'er was?
Ja.

WB: Veel mensen hadden dat liever niet in de openbaarheid.
Nee, voor de klandizie van de zaak waren ze bang. Er waren nogal veel klanten van joodse origine die daar opdrachten gaven en dat wilde dan wel eens aanleiding geven tot moeilijkheden, en die mensen zelf, de directie was zeker niet nationaal-socialistisch.

Ik was gewoon een huis-, tuin- en keukenlid. En ik had wel allerlei functies, bijvoorbeeld blokleider. Dan had je een blok, dan haalde je de contributie op, en je sprak met de mensen om een beetje de mening te peilen.

WB: Dus u was erg overtuigd.
Ja, dat beslist, ja.

WB: Was het prettig, die kameraadschap en zo?
Ja, dat vond ik wel. De verbondenheid die je met andere mensen hebt, dat vond ik heel erg belangrijk en ook de wil om tot eendracht te komen, ongeacht wat je was, om werkelijk een eendrachtig volk, dat was een belangrijk idee in de NSB.

WB: In de jaren '38, '39 kwam een oorlogsdreiging naderbij. Nederland was toen neutraal, had u ooit het idee dat Duitsland ooit nog zou binnenvallen?
Op dat moment niet, nee. Ik juichte het toe wat er gebeurde, in die zin dat, in de NSB was ik ook in aanraking gekomen met de groot-Nederlandse gedachte. En dat wilde zeggen dat allen van Nederlands bloed, om dat zo uit te drukken, dat die een eendracht zouden vormen. En dat was dus Vlaanderen, Nederland en Zuid-Afrika. En datzelfde dat was ook in Duitsland, ze wilden al die Duitsers in één Rijk hebben. Dus Oostenrijk, Sudeten-Duitsland, dat waren... in Polen had je de Sileziërs, die behoorden naar deze volkse opvatting in één rijk thuis. En dat Saargebied. En dat realiseerde Hitler, en dat juichte ik toe.

WB: U had bewondering voor Duitsland toen.
Waar ik bewondering voor had, dat was dat ze de werkeloosheid in een paar jaar hadden opgelost en dat ze probeerden alle Duitsers in een bond samen te brengen, in één land.

WB: Maar heeft u bijvoorbeeld ook met Volk en Vaderland staan colporteren?
Ja, als jongere ook.

WB: Was dat akelig?
Nee, dan voelde je je wat als je dat deed... dat je voor een bepaalde overtuiging uitkwam.

WB: Maar, je werd toch uitgescholden, genegeerd en zo?
Ja, ook wel dat ze met je gingen, hoe heet dat... je van de een naar de ander drukken, dat soort dingen gebeurden wel.

WB: Maar voelde je je dan niet vernederd?
Nee, want je werd er sterker door voor jezelf. Ze probeerden je iets onmogelijk te maken en jij zette door.

WB: Had u het idee dat u in een groepering leefde die eigenlijk een beetje afgesloten was van de buitenwereld?
Toen op dat ogenblik nog niet. Er waren een heleboel mensen die daar niet afwijzend tegenover stonden. De mensen die heel erg anti waren, die waren zelf bij een bepaalde partij aangesloten. Maar de grote massa, en dat is nu eigenlijk ook nog altijd, die liet het koud, en die had soms... een bepaalde richting gingen ze uit die als oppositie werd ervaren.

WB: De NSB, die was georiënteerd op Duitsland.
Toen nog niet, het was heel sterk nationalistisch, klein nationalistisch. Daarmee bedoel ik zo in de geest van: we willen Holland houden, ons Holland fier maar klein, waarbij dan toch wel altijd naar voren werd gebracht dat we een imperium hadden, dat we niet klein waren, in de NSB althans en dat we heel wat te verliezen hadden als we Indië zouden kwijtraken. 'Indonesië los van Holland', dat was toen bij velen de leus.

WB: U bent gaan schrijven op den duur.
Dat heb ik in latere periodes gedaan.

WB: Welke periode was dat?
Nou, ik herinner me nog, je had *Het Nationale Dagblad*, dus dat is dan al na 1936 geweest, daar was een zogenaamde Makkerclub, de jeugdrubriek van *Het*

Nationale Dagblad was dat, en daarin heb ik wel eens geschreven. Er werd afgegeven op de AJC en op de padvinderij en dat vond ik niet juist. Ik vond die beide bewegingen vond ik wel, vooral in natuuropzicht, ze brachten de jongeren naar buiten, en daar was ik een heel erge voorstander van; kamperen, buitensport. Dat zag ik in die AJC en in de padvinderij terug en ik vond dat niet terecht als dat werd aangevallen.

Van der Veen

Ik was ook zeer actief lid van de NSB, immer geweest. En ja...

WB: Waaruit bleek dat actief zijn, wat deed u?
Ik was zeer actief in het verspreiden van propagandamateriaal, colporteren met *Volk en Vaderland.* We waren natuurlijk lang niet bij allen welkom, maar och, moeilijkheden heb ik daardoor toch niet gehad.

WB: Maar er waren heel wat tegenstanders.
Er waren veel tegenstanders, maar niet zo, niet zo actief. Ik herinner me nog, ik ging op landbouwcursussen. Toen kwam ik zu spät, te laat op de school, en dan zei de leraar: 'Waar was jij dan?' En dan zei ik: 'Ja, ik moest eerst met *Volk en Vaderland* colporteren.' Toen zei hij: 'Nou laten we dan afspreken, we hebben twee avonden in de week cursus hier. Dan heb je nog vijf dagen voor *Volk en Vaderland*, dat moet toch reichen, doch?'

WB: Maar geen vijandige houding?
Nee, geen vijandige houding.

WB: Dat is eigenlijk merkwaardig, want overal elders in Nederland, bijvoorbeeld de colporteurs, die ondervonden moeilijkheden.
Ja, maar dat is waarschijnlijk in de steden zo, ik heb dat niet gehad. Ik was ook altijd alleen. Dus wanneer anderen mij een pak slaag wilden geven of zo, die kans die was er immer. Maar ik heb geen, eigenlijk helemaal in het dorp bij ons, geen moeilijkheden gehad.

Van de Berg

Deze getuige, die af en toe wat onduidelijk formuleert, bedoelt waar hij over Spanje spreekt vermoedelijk de Spaanse burgeroorlog. Wat hij niet kan rijmen, is vermoedelijk dat de Nederlandse Rooms-Katholieke Staatspartij tegen de NSB opponeerde, terwijl de rooms-katholieke kerk in Spanje grotendeels aan de zijde van generaal Franco stond.

WB: Waaruit bestond het partijleven in die dagen?
Colporteren met *Volk en Vaderland*, met de politie op de hielen. Plakken en

kladderen, dat was... Hoofdzakelijk in je vrije tijd; colporteren met *Volk en Vaderland.*

WB: Waren er ook vergaderingen waarin bijvoorbeeld de ideologie uiteen werd gezet?
Nou ja, een ideologie, nee, niet zozeer, het was altijd meer het nationale, het echte nationale, het Nederlander zijn, de vlag, waar het eigenlijk meer om draaide. Ik denk bijvoorbeeld aan die enorme landdag in Den Haag, waar we dan... Buiten hadden we een hele grote tent. We mochten maar, om de honderd meter mochten we dan maar een Nederlandse vlag ontplooien. De rest van de Nederlandse vlaggen moesten we allemaal opgerold meevoeren. En natuurlijk weet ik daar een zin, of een zin, iets van die redevoering van Mussert heb ik heel sterk kunnen onthouden. Trouwens, die van Mussert, als die sprak, daar heb je ook wat aan. Die sprak echt, niet als een [C.] Van Geelkerken... Nee, die vertelde. En toen heeft hij ook verteld: het was de plicht van Nederland om een brug te helpen bouwen tussen Duitsland en Engeland, dat zal ik nooit vergeten, dat hij dat toen naar voren bracht.

WB: Was u Jeugdstormer of WA-man?
Nee, nee, toen had je nog geen WA hè, want dat was verboden. Ik was gewoon, in die dagen, een gewone NSB'er, die colporteerde met *Volk en Vaderland.*

WB: U had natuurlijk last van tegenstanders.
Ja, natuurlijk had je last van tegenstanders, dat heb ik mijn hele leven gehad. Tot op de dag van vandaag.

WB: Maar hoe ging dat toen?
Nou, ja, hoe ging dat toen... Nou ja, als ik nou door Den Haag liep, dan had je daar hele groepen mensen staan en dan is het: 'Fascisme is moord', en dan werden we voor alles wat lelijk was werden we uitgescholden.

WB: Volgde u de ontwikkeling in Duitsland?
Nou, nee, die volgde heel Nederland niet. Want, nou ja het klinkt misschien... maar je had alleen maar een krant. Dus ja, en wat stond er dan dus in... en dan was het ook nog de vraag: als je druk werkt heb je amper tijd om de krant te lezen. En je hoorde, of natuurlijk las je wel eens wat. Maar ik geloof niet dat het een Nederlander eigenlijk direct interesseerde.

Ik weet, mijn broer, die was op de fiets naar Rome, en toen schreef hij vanuit Duitsland vandaan: 'Jongens, ik heb gegeten bij de bruinhemden, en ik leef nog.' Dat weet ik nog wel. Dat hij nog, dat wij natuurlijk... ja, wij hoorden natuurlijk wel eens van bruinhemden, maar wat dat nou was... nou ja, dat... dat was ver eigenlijk van ons bed.

WB: En uw familie?

Mijn familie, och al voor de oorlog werd [voornaam geschrapt] geaccepteerd, gewoon, verder niks. Maar toen had je ook, en trouwens dat hebben we de hele oorlog wel gehad, maar... nee, de familie was voor de oorlog nooit vijandig. Nooit vijandig.

WB: Wist uw baas het?

Nee, mijn baas wist het niet. Nee, dat was een katholiek en u weet dat de RK Staatspartij, die verkondigde dat de RK Staatspartij het sterkste bolwerk was tegen fascisme en communisme. Hoe ze Spanje rijmen de katholieken weet ik niet hoor. Dat weet ik niet.

WB: Maar u hield het overal geheim dat u NSB'er was.

Bijna, kun je zeggen. Niet overal natuurlijk.

WB: Maar als je er voor uit was gekomen, wat dan?

Nou, dan had ik misschien mijn baan weer kwijtgeraakt. Ja en dat mocht je, en ik was eigenlijk de broodwinner voor de hele familie in die tijd. Ik verdiende *f* 30,- per week, plus kost en inwoning en dat was toen een hoog salaris...

Een WA-man colporteert.

Limburgse 'colportageploeg'.

Een NSB'er colporteert met *Volk en Vaderland* naast een SDAP'ster die *Vrijheid, Arbeid, Brood* aan de man brengt.

3
De meidagen van 1940

Heel Nederland was verrast, verbijsterd en geschokt door de Duitse inval in mei 1940. Deze constatering is een gemeenplaats en tegelijkertijd is het feit nu onvoorstelbaar. Onvoorstelbaar dat voor zó velen een Duitse overval ondenkbaar was.

Dat niet alleen: van de manier waarop de Duitsers het zouden doen, hadden maar weinigen zich een voorstelling gemaakt. Voor zover men zich al mentaal op een oorlog had voorbereid, gebeurde dat in termen van de vorige wereldoorlog, die gekenmerkt werd door brede fronten, waar de infanterie de beslissende factor was. Een gevecht aan de Grebbeberg was nog voorstelbaar, maar slechts zeer weinigen, ook onder de militairen, hielden ernstig rekening met landingen van grote aantallen Duitse parachutisten in het westen van het land.

Maar dat was nu precies wat er gebeurde. De vijand was in de eerste uren van de inval al op allerlei plaatsen in het land, voor en achter wat men voor de frontlijn hield. Er was niet één front – dat was het verbijsterende – de vijand leek overal, alom aanwezig. Hij viel tegelijkertijd in het oosten binnen en in het westen, hij was plotseling bij de Moerdijkbrug, bij Dordrecht, bij Rotterdam. Landingen op de vliegvelden Ockenburg en Valkenburg waren bedoeld om vorstin, regering en opperbevelhebber in Den Haag gevangen te nemen.

Dat dit kon gebeuren, terwijl de meeste burgers nog niet eens beseften dat het oorlog was, leek er op te duiden dat de invaller hulp kreeg van binnen uit. Paniek greep om zich heen. Burgers en soldaten hoorden geruchten, meenden lichtsignalen te zien en merkwaardige bevelen te krijgen. Er moest verraad in het spel zijn. Zenuwachtige soldaten schoten op elkaar en op burgers, hetgeen de gedachte van opzettelijk verraad en sabotage nog versterkte.

Toen in de Spaanse burgeroorlog generaal Mola met vier colonnes voor Madrid stond, pochte hij dat binnen de stad al een 'vijfde colonne' was, die de beslissende slag zou toebrengen. De vijfde colonne werd in die tijd een begrip. Wie zouden er nu toe behoren? Natuurlijk de lieden die zich al jaren lang met de overvaller van Oostenrijk, Tsjechoslowakije en Polen solidair hadden verklaard, kortom, de leden van de NSB. Al op 10 mei, de eerste oorlogsdag, stelde men hier en daar verdachte elementen in verzekerde bewaring en daar behoorden in de eerste plaats NSB'ers en in Nederland woonachtige Duitsers toe.

Het falen van de verdediging op tal van plaatsen en het snelle oprukken van de Duitsers in de volgende dagen, deed de angst voor de vijfde colonne toenemen. Nog meer NSB'ers werden gearresteerd en ook burgers die in het geheel niet met de Duitsers of de NSB sympathiseerden, maar op een of andere manier de argwaan van de omgeving hadden gewekt.

Al die mensen – het waren er duizenden – werden haastig op geïmproviseerde interneringsplaatsen bijeengebracht, in oude forten, in gebouwen als de Markthallen in Amsterdam, of het KLM-gebouw in Den Haag bij Scheveningen. Nerveuze soldaten en politieagenten begeleidden de transporten en bewaakten de geïnterneerden.

Het kon niet anders of in die sfeer van chaos en angst moest het hier en daar mis gaan, en dat gebeurde dan ook. We noemen hier een paar gevallen. Toen overste Mussert, broer van de NSB-leider Mussert en belast met de verdediging van Dordrecht, scheen te dralen, zagen enige jonge officieren in het gedrag van hun toch al verdachte commandant een overtuigend bewijs van verraad en schoten hem dood. In datzelfde Dordrecht werden twee broers door militairen doodgeschoten. Een van hen was weliswaar lid van de NSB, maar zij hadden zich aan niets schuldig gemaakt.

Dergelijke schietpartijen kwamen elders ook voor. Eigenlijk was het gezien de stemming in het land nog een wonder dat in die vijf oorlogsdagen van mei 1940 slechts elf mensen op deze wijze om het leven kwamen; daaronder waren slechts zes NSB'ers. In België en Frankrijk werden er beduidend meer veronderstelde landverraders gedood.

In België was het vermoeden van binnenlands verraad niet onjuist. Na de oorlog bleek dat de leider van de Vlaamse fascistische partij, het Vlaams Nationaal Verbond, en sommigen van zijn volgelingen inderdaad de binnenvallende Duitsers hand- en spandiensten hadden bewezen. Maar dat wist men in 1940 nog niet en vrijwel alle mensen die toen werden doodgeschoten, waren even onschuldig als de slachtoffers, NSB'er of geen NSB'er, in Nederland.

Betekent dit dat alle NSB'ers en in Nederland woonachtige Duitsers onschuldig waren? Een van de getuigen die hierna aan het woord komen, wijst op de dissertatie van L. de Jong over de vijfde colonne, waarin deze gezegd zou hebben dat van landverraderlijke activiteiten 'totaal geen spoor ... is teruggevonden'. In zijn algemene strekking is deze bewering juist: De Jong toonde inderdaad aan dat het beeld van een alomtegenwoordige vijfde colonne, zoals men dat in de meidagen had, in geen enkele verhouding stond tot de feiten.

Maar precies genomen is dit citaat niet juist. De Jong heeft dit niet zo gezegd en zou het ook nooit gezegd kunnen hebben. Er zijn op dit terrein nog steeds onopgehelderde incidenten. Belangrijker nog is het feit dat een bepaalde groep van NSB-leden zich wel degelijk op de eerste oorlogsdag in mei 1940, en zelfs voordien, aan landverraad in de meest directe en militaire vorm schuldig maakte. Het waren leden van een NSB-afdeling in het buitenland, die, samen met Duitse militairen en allen in Nederlandse uniformen gestoken, in de nacht van 9 op 10 mei een groot aantal bruggen over de IJssel, het Maas-Waal-kanaal en de Maas in handen trachtten te krijgen. In zeven gevallen lukte dat ook, in een ervan –

de spoorbrug bij Gennep – met zeer ernstige gevolgen: een Duitse pantsertrein kon door de Maaslinie heenbreken.

Het moet worden gezegd dat de leiding van de NSB, toen zij later hiervan kennis nam, verontwaardigd reageerde. De twee NSB-leden die het meest verantwoordelijk waren geweest voor het ronselen van de in Duitsland woonachtige NSB'ers voor dit bijzonder kwalijke landverraad, werden later tijdens de bezetting door Mussert geroyeerd als leden van de partij.

Wat was in het algemeen de houding van de Leider der NSB en zijn volgelingen tegenover de Duitse inval? Wat Mussert vóór mei 1940 werkelijk dacht en voelde aangaande een Duitse aanval weten wij niet. Gezien de persoonlijkheid van de Leider is het niet onmogelijk dat hij het zelf ook niet wist. Zeker was hij onkundig van het feit dat Hitler al in het najaar van 1939 besloten had Nederland in de oorlog te betrekken. Ook was hij volkomen onkundig van het tijdstip van de aanval. Mussert inlichten was het laatste wat de Duitsers wensten te doen. Rost van Tonningen, zijn rivaal in de partij, heeft misschien meer kunnen vermoeden – in maart bezocht hij de Reichsführer-SS Heinrich Himmler, die overigens van zijn bezoek niet gecharmeerd was.

Toch laat zich wel een zekere grondhouding van Mussert afleiden uit privé-uitlatingen en zijn publieke verklaringen. De oorlog met Engeland diende Duitsland te winnen, dat was in het belang van heel Europa en dat zei Mussert ook openlijk. Maar tussen het uitbreken van de tweede wereldoorlog in september 1939 en de inval in Nederland in mei 1940 had Mussert enige gesprekken met medewerkers van de Abwehr, de Duitse militaire inlichtingendienst, die er, niet onbegrijpelijk, op gebrand waren te weten waar de NSB zou staan in het geval van een Duitse inval. Welnu, het was duidelijk dat Mussert voor Nederland een zeer korte oorlog verwachtte en dat hij zich daarna vrij zou voelen mee te werken aan de opbouw van een nieuwe nationaal-socialistische orde.

Desalniettemin gaf Mussert zijn Duitse gesprekspartners te verstaan dat de Duitsers tijdens een Duitse veldtocht in Nederland geen hulp van de NSB mochten verwachten: zijn partij kon 'er niet aan denken, zolang er nog één schot gelost werd, zich te keren in de strijd tegen eigen volksgenoten'. Kortom, hij en zijn NSB zouden in zo'n korte strijd loyaal aan het vaderland blijven, hoezeer zij ook betreurden dan 'aan de verkeerde kant' – zo zei Mussert het letterlijk – te staan. Als het eenmaal afgelopen was, dan was hij bereid. Bereid tot wat? Uit hetgeen na de capitulatie in mei 1940 gebeurde, valt maar één ding af te leiden. Mussert dacht dat de Duitsers hem zouden toestaan een regering te vormen om Nederland nationaal-socialistisch te maken en daarmee tot een betrouwbare maar onafhankelijke bondgenoot van Duitsland.

Moeilijker is het de houding van de gemiddelde NSB'er te bepalen. Ook hier kan een aantal dingen met zekerheid worden vastgesteld en laat de rest zich vermoeden, voornamelijk op grond van het latere gedrag. Zeker is dat (afgezien van de NSB'ers die betrokken werden bij de overval op de bruggen in het oosten van het land, en van misschien nog enkele figuren) geen enkele NSB'er van gezaghebbende Duitse zijde werd ingelicht over het plan voor een Duitse inval, laat staan over het tijdstip. Zeker is ook – en hetgeen de getuigen hier zeggen, bevestigt dat alleen maar – dat zij de capitulatie van het Nederlandse leger op 15 mei 1940 als het einde van de oorlog tussen beide landen zagen en dat zij zich geheel vrij voelden een nationaal-socialistisch Nederland als bondgenoot van Duitsland te vormen.

Maar – en dat is misschien het merkwaardige – verwarring, ontzetting en verontwaardiging over de Duitse inval werden door menig NSB'er net zo sterk gevoeld als door andere Nederlanders. De verwarring was vermoedelijk bij hen juist groter. Ook andere NSB'ers dan de hier aan het woord komende getuigen zeiden later pijn en verwarring te hebben gevoeld, omdat juist hun politieke vrienden deze onverwachte invasie hadden uitgevoerd. De soldaten die NSB'er waren, gedroegen zich tijdens de vijf dagen oorlog in mei 1940 niet slechter dan de anderen; ook de Nederlandse opperbevelhebber erkende dit kort nadien.

Des te grievender vonden de NSB'ers die tijdens de meidagen opgepakt werden, hun behandeling. Het sterkte hen in hun nationaal-socialistische overtuiging, en daarmee na hun vrijlating op 15 mei 1940 in een vrijwillige collaboratie met de bezetter, die zij niet als zodanig wensten te zien.

GETUIGENISSEN

Van de Berg

WB: Toen de oorlog aankwam, voelde u dat het zou komen?

Nee, verre van dat, daar heb je... Even kijken, Colijn zei onder andere: 'Mensen ga maar rustig slapen, want er is niks aan de hand.' Prinses Juliana zei: 'Een Oranje verlaat zijn post nooit en te nimmer.' Maar of er nou oorlog, hoewel, nee, dat was veel later dat ik er achter kwam. Nee, dat heb je nooit van... En het was zo mooi, ik woonde toen op een woonboot, daar in Diemen, en het was, liep naar de moederdag. En ik was aan het marsepeinroosjes maken. En bloemen voor banketbakkers. En dat was midden in de nacht geworden. Ik denk: ik ga toch nog even een uurtje plat hoor. En ik lig amper onder zeil en dan hoor ik me toch ineens geschiet. En ik werd kwaad en denk: potverdorie, laten ze dat toch melden hè, dat ze manoeuvre gaan houden. En ik dacht: nou dat is een manoeuvre. Maar toen bleek het wat anders te zijn. Toen viel er in Diemen een bom, toen liepen die polders onder daar.

WB: Wanneer hoorde u dat het Duitsers waren?

Nou ja, dat weet ik niet, maar het zal wel, misschien vijf minuten later geweest zijn. We hoorden een Duitser van... Nee, dat is ook weer enige uren later, toen kwam er iemand en toen wisten we natuurlijk dat het Duitsers waren.

WB: En wat vond u daarvan?

Nou, in een zekere mate natuurlijk triest, maar ik had niet veel tijd om na te denken. Want ik werd opgepikt. En het slimme is nou, dat is nou het allerslimme, dat ik als Nederlander ben bevrijd uit de handen van mijn Nederlandse moordenaars, van mijn landgenoten, die in die dagen al elf mensen van ons vermoord hadden. Daar heb ik opgesloten gezeten in de Markthal in Amsterdam.

WB: Ja, maar bij de Duitsers hebben vele duizenden mensen vermoord in de oorlog.

Wat die Duitsers doen, moorden, ja kijk als ik daar naar ga kijken, dan zeg ik: ja, dan kan een ander ook met stenen gooien en dan zeg je nu, wat hebben wij gedaan.

WB: Nee, dat bedoel ik niet. Er valt een Duits leger Nederland binnen. Duizenden doden, en dan klaagt u over elf doden bij de NSB'ers.

Ik heb toch niks te maken met wat de Duitsers doen, dat moeten die Duitsers toch verantwoorden, dat moeten zij toch verantwoorden, dat kan ik toch niet verantwoorden.

WB: Waarom werd u gearresteerd en zoveel andere NSB'ers niet?
Ik weet het niet. Nou, in de eerste plaats, mijn broer was gearresteerd en toen heb ik me vrijwillig gemeld want ze hadden de verkeerde te pakken... en toen heb ik me gemeld.

WB: Uw broer was geen NSB'er.
Nee, die was geen NSB'er. Ik was de NSB'er in de familie.

WB: Uw broer kwam los.
Mijn broer kwam los. En ik ging erin.

WB: Hoe was de gevangenschap in die paar dagen?
Nou, dan zat je in het amfitheater. Veilingsgebouw was het. En dan zat je daar boven, daar stonden dan mitrailleurs opgesteld. Achter stonden, in je rug stonden er mitrailleurs opgesteld. Moest je naar de wc, karabijn ervoor en een karabijn erachter want, veronderstel... ook bij de vrouwen, karabijn, en dan moest je zo naar de wc toe gaan. Geen eten, geen drinken.

En toen we, ik heb het bijna twee dagen beleefd, zagen we grote rookwolken plotseling. En toen kwam er een man en die sprak over de Duitsers, eerst de Duitsers sprak hij aan. En toen zei hij: 'Dan kunnen jullie naar je Führer gaan. Zijn er hier ook Hollanders bij?' En toen een brul: ja! 'Dan kunnen jullie gaan.' Nou ja, die karabijnen gingen weg, dat gingen weg en wij gingen daar naar beneden toe. En ik weet nog precies, linksom. En toen zetten de Duitsers: 'Duitsland über alles' in en wij sloten toen aan met het Wilhelmus...

En daar heb je nou iets, met dat leed, waren we met die Duitsers, waren we eigenlijk gezegd, een beetje lotgenoot geworden; een beetje slachtoffer met elkaar. En toen klonk er uit die Duitse en Hollandse mond, want toen moesten we die mensen voorbij, die ons daar zo net met die karabijnen bewaakt hadden, gedreigd hadden. En toen klonk er maar een paar woorden: 'Jongens, denk erom hoor, geen wraak.' Nou en dat is precies ook wat ik de hele oorlog van Mussert heb leren kennen. Voor de oorlog, maar ook vooral in de oorlog, nooit geen wraak, alleen maar offeren tot je erbij neerviel.

Van der Veen

WB: Toen de oorlog uitbrak, hè, de dagen van '40, bent u toen gearresteerd?
Nee, ik heb later nog van de gemeente, ik had een jachtgeweer. De gemeentegrond[veld-]wachter die kwam, en die moest alle geweren innemen, ook de mijne. En later vertelde hij mij nog, ze hadden nog met de burgemeester er over gesproken of ik gearresteerd zou worden of niet, maar ze meenden dat lang niet nodig.

WB: Voelde u zich opgelucht dat de Duitsers kwamen?
Nee, ik voelde me wel zo, nu wordt het voor ons ook beter, Duitsland wint. Want ik heb immer gedacht dat Duitsland die oorlog winnen zou.

Kardoes

WB: De oorlog kwam, dus 1940. Had u enig idee dat Duitsland ons zou binnen vallen?
Geen enkel. Achteraf zeer dom.

WB: Hoe voelde u zich toen dat gebeurde?
Ik werd om vier uur 's nachts wakker door het ronken van vliegtuigen, ik woonde in Bussum, eh... in Naarden en ik deed mijn raam open en toen zag ik op straat allemaal mensen roezemoezen, in het half donker. En toen heb ik waarschijnlijk wel iets van schieterij gehoord, dat weet ik allemaal niet meer precies, maar ik heb ook die vliegtuigen in het schemerachtig half-donker zien overkomen. En toen dacht ik: verdomme, het is zover.

Inderdaad waarschijnlijk: die schoften. Waarschijnlijk heb ik, ik weet het niet honderd procent zeker, maar ik moet dat wel haast gedacht hebben. En hoewel dat natuurlijk krankzinnig dom is want Denemarken en Noorwegen die waren al binnengevallen en als je nou een klein beetje een idee hebt van wat een oorlog is, tussen Engeland en Duitsland en Frankrijk, dan is dat strategisch onmogelijk om dat neutraal te maken. Leek me wel, dat is toch ook de grootste fout geweest van de Duitse legers in wereldoorlog een.

WB: Dacht u niet met een zekere opluchting: nou zijn wij aan de beurt?
Nee. Pertinent niet, dat kreeg ik pas na mijn kampervaring. Na mijn eerste kampervaring.

WB: U werd gearresteerd.
Ik ben gearresteerd, niet direct op 10 mei, want op 10 mei ben ik met mijn NSB-speldje op, dat zult u vreemd vinden, naar de vrijwillige brandweer gereden, want daar was ik lid van. Ik was namelijk niet in het leger. Ik was afgekeurd wegens te smalle borst, hoewel ik me gemeld had om wel in het leger te komen toen ik achttien was. Maar ik werd dus afgekeurd, maar toen die mobilisatie hier kwam, toen begon men met het oprichten van vrijwillige brandweer. Voor bombardementen en zo. Dus ik heb me daar gemeld met een NSB-speldje op, op 10 mei 1940. Dat ik dat NSB-speldje op heb gehad moet u een idee geven...

WB: ...van uw naïveteit toen.
...van mijn naïveteit, maar ook van mijn bedoelingen. Ik zag die Duitse inval als Nederlander, dus als iets fouts, waar ik me tegen te weer zou dienen te stellen. Maar dat wil niet zeggen dat ik daarom geen fascistische of nationaal-socialistische ideeën zou moeten hebben. Ik neem aan dat als Engeland ons binnen was

gevallen, dat is natuurlijk een raar idee. Zou dan een democraat niet meteen fascist zijn geworden, ik denk dat ook niet. Ik bedoel, dan waren de Engelsen schofterig geweest, nu waren de Duitsers schoften en dat had met mijn politieke idealen tóen, ik zeg met nadruk tóen, niets te maken.

WB: *U heeft kort vastgezeten.*
Ik ben op 12 mei, op een zondag gearresteerd. En nogal brutaal mag ik wel zeggen. En naar de Markthallen in Amsterdam gebracht. Waar ik echt als het grootste vuilnis, ik werd naar het politiebureau gebracht in Naarden, waar mij gezegd werd: 'De commandant zal over uw lot bepalen.' Ik heb het in een moment gedacht: ik word tegen de muur gezet. En toen kwam ik in Amsterdam en heb ik dus in die Markthallen gelegen en goed, ik ben dus die dinsdag daarop vrijgelaten.

WB: *U werd slecht behandeld maar kunt u zich voorstellen dat mensen verbitterd waren en ontzet en doordat de beweging waarmee uw groep zich, het land waarmee uw groep zich identificeerde, nam ons onze vrijheid af.*
Ja, dat kan ik me voorstellen en ik heb dat ook ondergaan.

De Munck

WB: *En toen kwam de oorlog, heeft u moeten vechten?*
Nee, toen kwam de oorlog. Nog niemand had met scherp geschoten. Wij hebben patrouilledienst gedaan maar mijn broer werd ingezet met zijn batterij bij het vliegveld Valkenburg, tegen de parachutisten. En ja, ze hadden geen ervaring, open vuurstelling, dus niet gecamoufleerd. En na korte tijd werd die batterij platgebombardeerd met de nodige verliezen en toen werd hij als groepscommandant ingezet; met vijftien man het veld in. Ik hoor hem later nog vertellen: 'Joh, die parachutisten hadden allemaal zo'n klein machinegeweertje.' Wij hadden nog nooit van machinepistolen gehoord. Nou, hij ging met vijftien man weg en kwam met vijf man terug. Vijf doden en vijf gevangen genomen.

Nou, en hij lag in Hillegom dus we hadden elkaar wel eens ontmoet. We hebben daar ook ieder een meisje leren kennen, twee zusters en toen ging hij daar bij Hillegom, toen lag in een bollenloods lijken, toen heeft hij de macabere bezigheid gehad om te kijken of zijn broer daar bij lag, maar ik leefde gelukkig nog.

WB: *Dacht u, toen de oorlog voorbij was na die paar dagen: nou zijn wij de baas?*
Wij, wij waren des duivels, wij zijn helemaal niet de baas. Wij waren des duivels. Ik heb volwassen kerels zien staan janken van woede en dat de regering gevlucht was en bovendien het staatshoofd ook. En een luitenant zei: 'Ze hebben de Grondwet ook nog gebroken.' We hadden de twijfelachtige eer gehad om aan de kortste oorlog in de geschiedenis deel te nemen. We sloegen de Tiendaagse veldtocht [tegen België in 1830] met daglengte. We waren des duivels. Nou, toen

hebben ze de Opbouwdienst gecreëerd, heel verstandig, want anders had je een hoop werkelozen gehad. Maar wie een baan had, die kon uit dienst. Ik werkte op kantoor van de Artillerie-inrichtingen Hembrug en toen ben ik weer naar huis gegaan.

Driessen

Getuige Driessen bevond zich op het moment van de Duitse inval te Lunteren, een plaatsje op de Veluwe, vlak bij het partijterrein van de NSB op de Goudsberg. Hier waren ook Cornelis van Geelkerken, de eerste plaatsvervangende leider van de NSB, en Evert Jan Roskam, leider van het Boerenfront van de NSB, later door de Duitsers benoemd tot hoofd van de Landstand met de titel 'Boerenleider'.

WB: Waar was u op het moment dat de Duitse inval plaatsvond?
In mei 1940 was ik in Lunteren... Er zou een bijeenkomst worden gehouden op dat Hagespraakterrein in Lunteren, en we zouden daar wat werkzaamheden verrichten, dat was dan met de leden van de Mussertgarde, om de mensen daar op te vangen. En toen, de ochtend van de 10e mei, toen kwam de beheerder van dat terrein – wij sliepen in een huisje daarboven op de Goudsberg – en die kwam naar boven en die zei: 'Nederland is... De Duitsers zijn binnengevallen in Nederland.' En we zagen een vliegtuig zó voor ons uit vliegen. Maar in eerste instantie zag ik geen hakenkruis, alleen maar zo'n oorlogskruis. Dat hoorde ik dan naderhand, kwam ik daarachter. En dat was een Duits vliegtuig dus. En die beheerder die zei: 'We vinden overal parachutisten, die vallen naar beneden, zodra ze hier komen, direct ontwapenen en dan aan de politie overgeven.' Dan kun je zien dat we totaal geen indruk hadden van wat eigenlijk een oorlog was, want ga jij maar eens een parachutist ontwapenen met je blote vuisten.

WB: Had u geen gevoel van opluchting: nou, eindelijk zijn we de baas?
Oh nee, niet in het minst. Het was, in de eerste instantie vond je het verschrikkelijk dat de Duitsers dat deden.

WB: De vrienden vielen binnen.
Nee, zo werd dat niet opgevat, althans niet door mij en door een heleboel anderen, door mijn vrienden in ieder geval ook niet.

WB: Maar waarom legde u dan het accent op Duitsers, u zegt dat Duitsers binnenvielen.
Omdat we toch, ideologisch voelden we ons toch verwant met die Duitsers. Het was de bedoeling dat heel Europa fascistisch of nationaal-socialistisch zou worden, althans dat hoopten we. En nu waren het die geestverwanten die ons land binnenvielen en onze soldaten aanvielen.

WB: U bent opgepakt toen.

Nee, in de omgeving wel, we gingen naar het huis van Van Geelkerken, die woonde daar aan de voet van de Goudsberg en... Ja, wat te doen, daar werd over gediscussieerd, en Van Geelkerken was nogal geagiteerd. Zijn vrouw die zei, en ik heb bewondering voor die vrouw zoals ze dat opvatte: 'Ja, dat is nou het risico geweest, dat we die kant gekozen hebben, en nu moeten we ook maar dat op ons af laten komen.' Toen gingen wij weer naar boven toe, naar de Goudsberg, en naderhand werd hij in een autobus weggehaald met Roskam, de Boerenleider. Die woonde daar ook in Lunteren, die kwam ook in die bus te zitten. Van Geelkerken, mevrouw van Geelkerken, en die zijn naar Purmerend, geloof ik, afgevoerd.

WB: Dus u heeft helemaal nergens last van gehad?

Nee, het was zo, ik ging ter fiets naar Amsterdam terug en daar merkte je al wat van agitatie en ik kwam dan in Amsterdam aan. Maar ik werd niet opgepakt. Je liep door de stad heen, er waren... De burgerwacht die toonde zich zeer onzeker. Je moest bijvoorbeeld van hun plein meteen verdwijnen. Dan zaten ze met bevende handen met een pistool op je... maar dat was iedereen, het was een hele situatie waar niemand eigenlijk iets voor wist, hoe je dat moest oplossen.

WB: Naderhand, en zelfs tot op de huidige dag, wordt dat gebruikt, het woord 'landverrader' en dat stamt vanuit de oorlogsdagen.

Ja, ja. Er heeft helemaal geen landverraad plaatsgevonden van NSB-kant uit. Trouwens, dat heeft dr. De Jong in zijn proefschrift *De Vijfde Colonne*, heeft hij ook gezegd dat daar totaal geen spoor van is teruggevonden, terwijl hij dat wel graag had gewild. Hij ging ook toen hij eraan begon van het standpunt uit dat hij daarvoor de bewijzen zou vinden, maar dat is niet het geval geweest.

OORKONDE

Ter herinnering aan de vijf dagen in Mei - Bloeimaand 1940, toen de duivelsche terreur losbarstte over alle Nationaal Socialisten.

Ter herinnering aan de kameraden, die vielen als slachtoffer van democratische moordlust.

Ter herinnering aan de diefstal, de vernieling, de brandstichting, de mishandeling en de concentratie-kampen.

Ter herinnering aan de laatste misdaden, die joden, vrijmetselaars, jezuieten en andere volksverraders aan ons Volk konden bedrijven.

10 t/m 14 Mei 1940

Opdat wij niet vergeten!

Een 'in memoriam' vol antisemitische symbolen en verwijzingen.

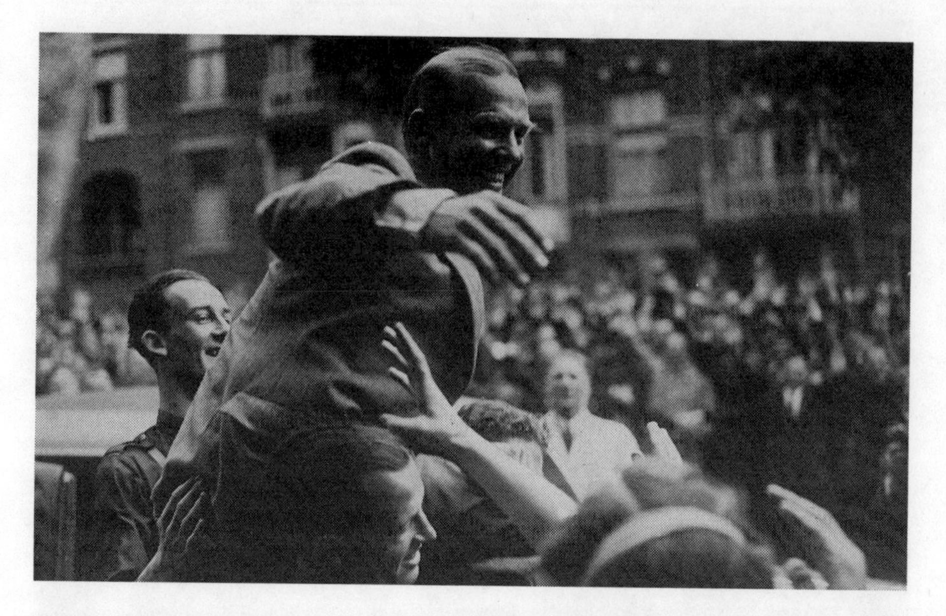

Rost van Tonningen keert op 7 juni 1940 terug uit internering.

In de meidagen van 1940 geïnterneerde NSB'ers.

4
De Nieuwe Orde

Het kan niet worden ontkend dat de meeste Nederlanders zich na de capitulatie in mei 1940 opgelucht voelden. Ook al ging dat gevoel van opluchting gepaard met schaamte en verontwaardiging over de overgave en met angstige onzekerheid over wat de Duitse bezetting zou brengen.

Ongetwijfeld was die opluchting er ook bij de NSB-leden, de tegenstrijdige, andere gevoelens beslist niet. Men zou nu het nationaal-socialisme in Nederlandse vorm gaan ontwikkelen. Zeker, er lagen Duitse troepen in het land, er was een Rijkscommissaris benoemd, de Oostenrijker Dr. Arthur Seyss-Inquart, maar in de kringen van de NSB zag men dat in het geheel niet als de voorbode van een langdurige, steeds zwaarder te dragen bezetting. Men zou kunnen zeggen: de NSB zag het bewind van de nieuwe Rijkscommissaris met zijn betrekkelijk kleine staf als een welkom overgangsbewind van korte duur, dat de beperkte taak had inleidende maatregelen te nemen om het overwonnen volk een nieuw en beter politiek bestel te bezorgen. Ongeveer zoals na 1945 MacArthur met zijn staf, ondersteund door Amerikaanse bezettingstroepen, Japan regeerde. Weinig partijleden twijfelden er dan ook aan of Hitler zou het hoogste gezag in Nederland weldra aan Mussert opdragen, voorlopig misschien nog onder Duitse controle, maar zodra Engeland verslagen was, zou ook dat gauw afgelopen zijn.

Er kwam vooreerst niet veel van. Eerst moest de NSB zich waar maken, zowel in de ogen van de bevolking als van de Duitsers. De NSB wilde dat ook. Door middel van de WA wilde zij zich duidelijk manifesteren, 'de straat te veroveren', zoals de SA dat in Duitsland had gedaan. Leiding en WA-mannen realiseerden zich niet dat de vergelijking geheel mank ging. De WA had absoluut niet de aantallen en de wervingskracht van de SA in Duitsland. Zij werd gezien als een gewelddadige straatbende, die dank zij de steun van de bezetter intimiderend kon optreden. Voor zover er bij politiek aarzelenden sympathie voor de NSB aanwezig was, deed het optreden van de WA meer kwaad dan goed. De meeste NSB'ers vermochten dat niet in te zien.

De Duitsers oordeelden dat de NSB nog niet rijp was voor een 'Machtübernahme', en zouden de gehele bezettingstijd door bij dit oordeel blijven. Intussen was de NSB, tuk op het opbouwen van de 'Nieuwe Orde', een uiterst nuttig reservoir van mankracht voor de organisaties waarmee de Duitsers dachten Nederland te nazificeren of de oorlogsinspanning op te voeren.

Op allerlei terreinen waren de leden van de NSB bruikbaar voor de Duitsers. Nieuwe nazi-instellingen verrezen, zoals de Kultuurkamer of de Landstand onder Boerenleider Roskam. Andere lichamen werden genazificeerd door een geleidelijke invoer van NSB'ers, bijvoorbeeld de uit het Nederlandse leger voortgekomen Opbouwdienst, die later toen hij de naam Arbeidsdienst kreeg, feitelijk een nazi-instelling was geworden. Voor belangrijke functies koos de bezetter NSB'ers: de secretarissen-generaal, de top van het Nederlandse binnenlandse bestuur na vertrek van koningin en regering naar Londen, werden voor zover mogelijk door NSB'ers vervangen. Zo ook de Commissarissen der Koningin (toen provinciecommissarissen genoemd), burgemeesters, politieambtenaren en anderen.

Veel NSB'ers kregen macht maar de NSB kreeg niet de macht. Wat de NSB'ers beschouwden als de opbouw van een nieuwe nationaal-socialistische orde was dat ook wel, maar de bezetter hield uitsluitend het oog gericht op de eigen belangen, waarbij de oorlogsinspanning meer en meer prioriteit kreeg. De NSB'er die secretaris-generaal, burgemeester of politieagent was, werd als het ware aan Musserts gezag onttrokken. Hij voerde in eerste instantie de opdrachten van zijn broodheer uit. Dat was altijd, direct of indirect, de bezetter. Dat de NSB'ers door het gros van de bevolking gehaat werden, kwam de Duitsers goed uit. Het maakte hen plooibaar.

Meermalen koos de bezetter voor een bepaalde functie bewust géén NSB-lid. Soms handhaafde hij zelfs functionarissen die geen partijlid waren of zelfs enigszins anti-NSB waren ingesteld op belangrijke posten, indien de vereiste gewilligheid aanwezig was. Ook dat vergrootte de Duitse druk op de NSB.

De Duitsers hadden nog een pressiemiddel. In september 1940 dwongen zij Mussert een politieke SS-afdeling binnen de NSB op te richten, die eerst 'Nederlandsche SS', en later 'Germaansche SS in Nederland' zou heten. Hierin kwamen voornamelijk Nederlandse nazi's terecht die Mussert te slap, niet radicaal genoeg of ongeloofwaardig vonden. En voorts natuurlijk een aantal opportunisten, die begrepen dat de SS – een complexe organisatie, die zeer verschillende actieterreinen en facetten had – meer toekomst bezat dan Mussert of misschien zelfs het Duitse bezettingsbestuur van Seyss-Inquart.

De tegenstellingen binnen de NSB spitsten zich toe – het komt in een der volgende getuigenissen ook tot uiting – op een ideologisch verschil tussen Musserts idealen en die van de SS. Mussert wilde een nationaal-socialistisch, maar onafhankelijk Nederland, liefst vergroot met Vlaanderen tot 'Dietsland'. Het met name door Himmler beleden SS-ideaal was een groot-Germaans Rijk, waartoe ook Nederland, Denemarken, Noorwegen en Vlaanderen zouden behoren en waarvan Duitsland natuurlijk de kern zou vormen. Helemaal zonder succes was de propaganda van dit ideaal niet. Menige NSB'er die in 1940 nog 'Diets' dacht, zou zich later in 'groot-Germaanse' richting gaan ontwikkelen en dan meestal lid worden van deze politieke SS, die in feite fungeerde als een dependance van het grote Duitse SS-complex.

De Germaansche SS was een constante hindernis en ergernis voor Mussert, hoewel het een zeer kleine groep bleef, die bovendien meer nog dan de NSB leeggezogen werd ten behoeve van de Waffen-SS. De functie van de NSB als mensenreservoir blijkt nergens zo duidelijk als bij de werving voor wat toen door velen werd gezien als de elite van de Duitse strijdkrachten. Om politieke, later meer om militaire redenen was de Duitse SS-leiding vanaf het begin er zeer op gebrand om zoveel mogelijk Nederlanders voor de SS te werven. Vrijwel onmiddellijk na de capitulatie in mei 1940 werd daarmee begonnen, zodat al in de zomer van 1940 zich zo'n 1200 Nederlanders in een kazerne te München bevonden.

Gedurende de gehele oorlog zouden de Duitsers zware druk op Mussert uitoefenen om zoveel mogelijk mannen voor de Waffen-SS te leveren. Mussert op zijn beurt voelde zich verplicht zijn volgelingen moreel te pressen zich als vrijwilliger te melden. In dit leegbloeden van de NSB ten behoeve van de Waffen-SS zijn de Duitsers tamelijk succesvol geweest. Desondanks was tot op het einde van de oorlog slechts een minderheid van de Nederlandse SS-vrijwilligers ook lid van de NSB. Dat tekende zich al af in 1940, toen in München vogels van wel zeer diverse pluimage de kazerne kwamen bevolken. Verscheidenen van hen en blijkbaar niet eens zo weinigen, waren zelfs anti-Duits. Waarom zij zich dan hadden laten aanwerven, is onduidelijk; bij sommigen vallen merkwaardige motieven te achterhalen. Degene onder hen, die misschien meer dan anderen verantwoordelijk was voor een anti-Duitse stemming en die velen met succes aanspoorde om weer naar huis te gaan, werd later na een straftijd in gevangenis en concentratiekamp uiterst actief in het gewapend verzet.

De meeste in München belande Nederlanders waren overigens met voorspiegelingen van een 'sportopleiding' of 'politieopleiding' gelokt, een methode waar de SS-wervingsbureaus zich vaker van bedienden, in Nederland tot diep in 1941. Ongeveer de helft van de gegadigden moest naar huis worden gestuurd en sommigen kwamen inderdaad in de Nederlandse politie terecht, zoals met een van de hier optredende getuigen het geval is geweest.

Over de relatie tussen de politie en de NSB dienen hier twee dingen te worden gezegd. Het optreden van de Nederlandse politie tijdens de bezetting, speciaal bij de jodenvervolging, heeft weinig reden tot nationale trots gegeven. Hoewel vele politiemannen wél de juiste houding tegenover de bezetter hebben ingenomen, gold dit voor de meerderheid niet. Dit kan echter niet uitsluitend aan de aanwezigheid van NSB'ers in het korps worden toegeschreven. Zeker, de meest fanatieke 'jodenjagers' waren meestal uit het NSB-milieu afkomstig, doch zeer vele van de politiemannen die geen NSB'er waren, voerden dit soort opdrachten van de bezetter ook uit. Hun collaboratie kan niet op grond van een partijpolitieke overtuiging worden verklaard en weerspiegelt een veel algemener probleem, om niet te zeggen een algemeen geldig menselijk probleem. Een groot aantal collaboreerde stellig met aarzeling, vaak met kleine sabotagemanoeuvres; een betrekkelijk klein aantal misschien met ijver. Ten slotte was er een, om het zo te noemen, middengroep (waarvan wij het percentage ook niet bij benadering durven te schatten) die deze opdrachten uitvoerde in het tempo en met de routine, die bepaald werden door hun professionele instelling.

Het tweede punt is dat de NSB ook via de politie geen binnenlandse macht wist te verwerven. De Duitsers was er begrijpelijkerwijs veel aan gelegen zo snel mogelijk controle te krijgen over de enige gewapende inheemse organisatie die er na de meidagen van 1940 nog over was. De Nederlandse politie moest zoveel mogelijk genazificeerd worden in een voor de bezetter optimale zin. Dat betekende dat juist de NSB géén greep op de politie mocht krijgen. Geheel hiermee in overeenstemming was het streven van de SS om de politie in zich op te nemen. De politie moest een sterk militair karakter krijgen en raakvlakken tussen politie en Waffen-SS waren daarom welkom.

In het licht van dit doel moet de door de Duitsers opgezette politieopleidingsschool te Schalkhaar bij Deventer worden gezien. Het doel was de hier opgeleiden in de grote steden te plaatsen in gesloten, sterk gemilitariseerde politiebataljons. Minstens zo belangrijk was dat de school als eerste politieopleiding in de geest van de Nieuwe Tijd, kortom, als nazificatie-instrument gedacht was. Dat betekende op personeelsgebied een toevloed van NSB'ers, zonder wie de Duitsers het niet stellen konden. Liefst had de bezetter overtuigde leden van de Germaansche SS in de politie, maar die was getalsmatig veel te klein. Zelfs de hoogste politieposten, waar bekwaamheid tenslotte ook een vereiste was, vermocht de Höhere SS- und Polizeiführer in Nederland – Hanns Rauter, alweer een Oostenrijker – niet met deze lieden te bezetten. Anderzijds was het allerminst de bedoeling, evenmin als bij de Waffen-SS, om uitsluitend NSB-leden in opleiding te nemen. Integendeel, het nazificeringseffect van de opleiding zou dan te beperkt blijven. De weinige aspiranten die bij de Germaansche SS waren, en ook NSB-leden (onze getuige, oud-militair, die ook nog een opleiding bij de Waffen-SS had gevolgd, valt ergens tussen deze twee categorieën) waren zeer welkom, maar daarnaast werden allerlei jongelieden voor 'Schalkhaar' aangeworven, waarvan vele van de werkelijke bedoelingen van dit instituut geen flauw benul hadden.

Aangenomen mag worden dat deze a-politieke, meestal zeer jonge mensen door de opleiding te Schalkhaar, die onder controle van de Duitse politie stond, in bepaalde mate geïndoctrineerd raakten. De 'Schalkhaarders' zouden later een slechte naam krijgen. Recent onderzoek heeft echter duidelijk gemaakt dat de nazificatie en indoctrinatie geen volledig succes zijn geworden.

Er zijn Schalkhaarders geweest, die in het verzet zijn gegaan. De op zichzelf begrijpelijke identificatie van 'Schalkhaar' met 'fout' is dus niet zonder meer juist en wordt nog minder juist als men tegenover Schalkhaar de 'gewone' politie zou willen stellen, die dan 'goed' zou zijn geweest. Het zal overigens duidelijk zijn, dat deze inperking niet geldt voor degene, die tijdens zijn verblijf in de kazerne van Schalkhaar of daarvoor al voor de Nieuwe Orde gewonnen was.

GETUIGENISSEN

In de zomer van 1940 waren in de NSB hooggespannen verwachtingen: Mussert zou de macht krijgen en Hitler zou het Dietse ideaal, de samenvoeging van Nederland en Vlaanderen, verwezenlijken. Deze illusie was zo mogelijk onder de Vlaamse nationalisten nog groter. In dit kader moet men de fietstocht van de getuige Driessen plaatsen, een tocht die tot doel had contact met deze Vlamingen op te nemen. Een van hen was August Borms, een zeer bekende Vlaamse activist, die reeds in de eerste wereldoorlog met de Duitsers had samengewerkt en nadien ter dood was veroordeeld. Het vonnis werd in levenslange dwangarbeid veranderd. Tijdens de tweede wereldoorlog collaboreerde Borms weer en hij werd opnieuw ter dood veroordeeld. Ditmaal werd het vonnis in 1946 uitgevoerd.

Joris van Severen was de leider van een merkwaardige fascistische partij, het 'Verbond van Dietsche Nationaal-Solidaristen' (Verdinaso; het had een afdeling in Nederland, die later opging in de NSB). In de vijfde-colonnepaniek van de meidagen werd Van Severen opgepakt, naar noord-Frankrijk overgebracht en op 20 mei zonder vorm van proces met eenentwintig andere arrestanten te Abbéville gefusilleerd. Dat feit was niet alleen onze getuige ontgaan, maar bijna iedereen buiten België; zelfs Hitler was wekenlang niet op de hoogte.

Driessen ontmoette wel Wies Moens, een Vlaams schrijver, die ook in beide wereldoorlogen met de Duitsers collaboreerde en na 1945 in België bij verstek ter dood werd veroordeeld. Robert van Genechten was eveneens een Vlaamse activist van de eerste wereldoorlog, die daarna naar Nederland was gevlucht en later in de NSB belangrijke functies kreeg. Florrie Heubel is de latere mevrouw Rost van Tonningen.

Driessen

WB: Nou, toen kwam juni 1940 eraan. De situatie stabiliseerde zich, het Duitse gezag was vriendelijk in die dagen. Had u toen langzamerhand toch niet het idee: nou komen onze tijden?

Nee. In de eerste plaats ging ik op de fiets naar Vlaanderen om eens te kijken hoe die mensen, die naar Frankrijk waren weggesleept, ik denk hierbij aan Borms, aan Van Severen, aan een heleboel andere Vlaamse nationalisten, hoe het daarmee was gegaan en daar heb ik gesprekken gehad in Antwerpen, in Gent, in Brussel, in Aalst, met Vlaamse nationalisten. En... ze waren nog niet terug op dat ogenblik. En ik herinner me nog dat Wies Moens, daar waren we dan bij, die woonde op de Putberg in Assen, en ik had voor hem een boodschap van Van Genechten, en die zei: 'Ja, de zaak verandert nou helemaal, er zal nou meer invloed van jullie uitgaan.' En daar verwonderde ik me eigenlijk over, want daar had ik nog niet bij stil gestaan.

WB: *Heeft u iets van die invloed toen gemerkt, die toenam?*
Nee, in zoverre, er waren wel contacten, daarna werd ik dus secretaris van de secretaris-generaal van de NSB, in Utrecht en... Nee, er waren nog geen contacten, Florrie Heubel, daar had ik contact mee. Die was wel bijzonder optimistisch. Ik ben ook nog naar een jeugdleiderskamp geweest in Potsdam en in Danzig. En daar maakten we kennis met de jeugdleiding zoals die plaatsvond in Duitsland in dat kamp. Daar kwamen dan ook weer discussies naar voren. Strijd, wat betreft de groot-Germaanse gedachte en de groot-Nederlandse gedachte. Er waren mensen die fel tegen die groot-Germaanse gedachte waren en anderen die fel weer tegen die groot-Nederlandse gedachte waren.

Kardoes

WB: *Ja, toen kwam u vrij en toen dacht u misschien: nu zijn wij aan de beurt.*
Toen dacht ik zeker, na de capitulatie van Nederland, en zeker na hoe die oorlog zich verder ontwikkelde, dat die oorlog min of meer afgelopen zou zijn. En dat inderdaad niet wij aan de beurt kwamen, de NSB, maar dat ons idee aan de beurt zou komen, dat het uit was met de democratie. Dat het uit was met een parlement waarin 51 procent vertelt hoe het moet en 49 procent verder z'n bek kan houden. Dat is waar, ik dacht zonder meer toen ook dat Duitsland zou winnen. Ik dacht dat ieder anti-Duits verzet schadelijk zou zijn voor die komende overwinning, waar ik niet als Duitse aanhanger, maar als Nederlander op hoopte.

WB: *U bent toen naar Duitsland gegaan, waarom deed u dat?*
Al voor de oorlog stonden de arbeidsbureaus vol met plakkaten, 'Ga werken in Duitsland'. Omdat Duitsland kennelijk, aan zijn zes miljoen werkelozen, die hadden ze al aan het werk gezet, maar ze moesten er nog meer hebben, en dat was natuurlijk spannend in onze werkeloze tijd. Verder werkte ik, toen de oorlog uitbrak, op een Indisch handelskantoor in Amsterdam en het was met de im- en export van Indische produkten afgelopen. Dus de telefoons stonden stil. En ik werd niet werkeloos hoor, ik werd op een ander fabriekje geplaatst, die maakte lampekappen in Amsterdam. Maar dat was niet zo glorieus en ik dacht dat ik misschien verder kon komen door ook 's wat van de wereld te zien en de wereld was voor toen alleen Duitsland. En ik wou ook mijn talenkennis verrijken.

De bedoeling zou zijn dat ik naar Indonesië was gegaan enzovoorts, maar dat ging allemaal niet door. Dus toen kwam die oorlog, en ik kon via een relatie die ik had een vrij redelijke baan krijgen in Duitsland. Tegen een vrij redelijk salaris, op een internationaal kolenkantoor. Een organisatie van achtenveertig kolenmijnen in het Ruhrgebied. En daar kwam ik op kantoor te zitten.

WB: *U bent toen naar België gegaan...*
Ja, ik wou toen trouwen en ik heb aan die baas van mij gevraagd, die een

internationale kolentoestand had: 'Hebben jullie niet wat in Nederland, hebben jullie geen kantoor of een verkoopkantoor?' Toen zei hij: 'Ja, natuurlijk wel. Ik kan je wel versieren voor een baan in Antwerpen, ook in de kolen, groothandel.' Die mensen dachten waarschijnlijk dat Antwerpen in Nederland lag. Want toen ben ik dus in Duitsland weggegaan naar Nederland, ik kon niet naar België, ik kon mijn baan niet aanvaarden, want ik moest eerst een visum hebben, via het Rijkscommissariaat hier, en dat duurde maanden. En toen heb ik dus in België gezeten en daar heb ik de bevrijding op Dolle Dinsdag meegemaakt.

Van der Veen

WB: En hoe ging het toen met de boeren?

Och, nou het eerste wat de Duitsers deden met de oorlog waren de zogenaamde fietsplaatjes, die werden afgeschaft. Elk jaar moest je *f* 2,50 betalen voor een fietsplaatje, dat werd direct afgeschaft. Ook die biggenmerken en kalverenschetsen en zo. Dat alles viel weg. Da war ja meer vrijheid voor de boeren. Want de boer die wil ja normaal in vrijheid, hij wil zelf bepalen wieveel kalveren wil hij aanhouden wil, wieveel biggen of hij fokken wil. Das waren natuurlijk meer vrijheden voor de boeren. Of die melk, die zal ook wel wat duurder zijn, maar hoe die melkprijzen toen waren kan ik niet zo meer zeggen.

WB: Uw boerenleider was Roskam?

Ja.

WB: Hoe was hij?

Ja, Roskam die ken ik niet zo goed. Ik war hem al in Lunteren, op een landdag, dat war nog voor de oorlog. Toen heb ik wel met enkele mensen gesproken – ik ken die ook niet –, maar die zeiden: 'Ach, die koekenbakker, die is Boerenleider geworden.' Of hij bakker geweest is weet ik niet. Maar nadien heb ik in de mijnen met zijn zoon gevangen gezeten. Maar die is me zo tegengevallen. Ik denk: het is maar goed dat Duitsland de oorlog niet gewonnen het, want als wij met zulke mensen de staat opbouwen moeten, dan is het sowieso al verloren. En dat is natuurlijk zo, in elke revolutietijd dan komen mensen naar voren die daar helemaal niet horen. Dat was na de bevrijding in Nederland genau zo geweest. Daar zijn ook mensen in Militair Gezag en waar overal in, die daar eigenlijk ook niet horen... maar dat is nu eenmaal zo.

WB: Bent u verder boer gebleven in de oorlog?

Ja, ik ben immer boer gebleven.

WB: Waarom bent u eigenlijk niet naar het oostfront gegaan?

Ja, ik heb me eenmaal gemeld voor de Waffen-SS, ik ben ook gekeurd en toen afgekeurd en zodoende is toen daar ook niets van gekomen. Nachher, später, heb ik me nog weer gevraagd: ach, ik zal me nogmaals keuren laten, maar toen dacht ik: nee, in Rusland – toen was er inmiddels ook oorlog met Rusland – in Rusland heb je ook niks verloren, ik blijf hier.

Van de Berg

WB: U bent dan voor het eerst weer bij uw NSB-afdeling gekomen. Hoe waren daar de gevoelens?
Nou ja, we waren in een zeker opzicht rustig, maar aan de andere kant blij dat we als Mussert-mannen, als Hollanders eindelijk naar voren konden komen, ons konden uiten, wat we wilden. Dat was een zekere opluchting.

WB: U bent toen... Uniform aan en WA.
Ja, toen ben ik WA-man geworden, toen ben ik uiteindelijk kok geworden op de Amstel, daar aan de Hollandse afdeling. Ja en daar heb ik daarvandaan weer ander dingen.

WB: Wat deed u na de oorlog, dus na de meidagen, als WA-man de hele dag?
Eh... dan gingen we door de straten, en zingen, ons laten zien.

WB: Was dat niet een beetje uitlokken dan?
Uitlokken, ja dat ligt er natuurlijk aan hoe je het wilt bekijken. In een zeker opzicht, als je weet dat de boel je niet moet... dan lok je natuurlijk altijd uit. Als ik aan nu denk, nu zit ik hier. En ik weet zeker, ja, ze zeggen: 'Kijk, hij lokt ons nou nog uit.' En dat doet natuurlijk pijn, want van binnen, van binnen was dat niet de echte bedoeling. Dat natuurlijk wel op je af kwam... ja, dat was helemaal niet leuk.

WB: Kunt u eens wat vertellen van de vijandschap die u ontmoette toen?
Nou ja, dat zou eigenlijk gezegd... Ja, echt vijandschap, nee in het begin echt niet zo erg.

WB: Nee, maar dat mensen zich bijvoorbeeld omdraaiden of zo.
Nee, dat is allemaal weer later, toen de hetzecampagne echt op goede toeren was vanuit Londen, want toen... De derde dag geloof ik, na de oorlog, na de capitulatie, sprak [minister-president mr. D.J.] de Geer in Londen, en die wist te vertellen dat wij de Duitsers legaal tegemoet moesten treden. Dat was minister-president De Geer die toen sprak.

De Munck

WB: U heeft zich toch gemeld bij het Duitse leger?
Dat is toch heel wat anders! Ik stapte uit de trein... (en ik heb dat wel eens meer verteld aan een verslaggever en die zegt: 'Ik ben blij dat ik je ontmoet heb.' En

toen zei ik: 'Ik wou dat een leuk jong wijf dat tegen me zei.' Hij zei: 'Nee, dat meen ik.') ...toen stapte ik uit de trein en toen zag ik op het Victoriahotel die grote hakenkruisvlag hangen. Toen dacht ik: hoe komt die daar weg. Want wij hadden, net zoals Churchill en de diplomaten, geweldig respect voor wat Hitler tot stand had gebracht. En nu had hij ons bij nacht en ontij overvallen. Dus dan zijn er twee mogelijkheden: of je gaat tegen de bierkaai vechten en je gaat illegaal, of je doet wat Napoleon zei: 'Wil je de vijand bestrijden, moet je dienst nemen in z'n leger.'

We hebben ook een tijd gehad van de Franse bezetting. En de ene waren de Oranje-gezinden en de anderen die gingen zoals Daendels, die heeft het zelfs als generaal gebracht bij het Franse leger in dienst. En die sloegen elkaar de schedel niet in. Die zeiden: 'Kijk, we hebben allemaal het gedaan, met de intentie voor ons vaderland.' En Daendels was later de eerste gouverneur-generaal van Indië en op zijn grafsteen staat, en dat mogen ze ook op mijn grafsteen beitelen: 'Hij heeft veel mensen leren waarderen, maar nog veel meer mensen niet waarderen.'

WB: U meldde zich. Waar bent u toen naar toe gegaan?

Nou kijk, het was zo, er werd propaganda gemaakt dat... Er zouden nieuwe politietroepen worden opgericht. En die Duitsers, en daar ben ik het mee eens, die waren van mening, dan moest je een sport- een militaire opleiding krijgen. En die zou dan plaats vinden in het kader van de Waffen-SS. Wisten wij veel wat Waffen-SS was. We hadden wel gehoord dat Hitler een lijfwacht van de SS had. Nou, toen hebben wij ons gemeld. Het was een heel erg strenge keuring. En toen zijn we met een transport in juni 1940, zijn we naar München gegaan.

Nou, dat was een fantastische reis natuurlijk. En uit de trein, op het station, daar bestelde ik een kopje koffie en dat spuwde ik meteen weer uit, want we waren die pee-[surrogaat-]koffie natuurlijk niet gewend. Toen werden we met grote militaire vrachtwagens naar de kazerne gebracht in München, Freimann. Dat was niet zoals het propagandafilmpje, want dat ging met autobussen. Toen stapten wij uit die auto's, en dat was een immens grote kazerne, met vier verdiepingen en dan nog een zolderverdieping. In grote U-vorm. Ik heb later horen vertellen dat, toen Hitler, die zou de kazerne openen. En toen is hij weggegaan en toen heeft die architect die heeft zelfmoord gepleegd. Later waren dat allemaal gebouwen met een verdieping, hooguit twee verdiepingen.

En toen stapten we uit die wagen, het was een mooie, zonnige dag, en toen zagen we jongelui. Die waren in een soort werkpakje de ramen aan het lappen met papier, want er was geen zeemleer meer – het gaat overigens heel goed met papier – en die zongen een lied. Wij kenden een lied van het NSB, 'Het regiment van Mussert zoekt zijn weg alleen' en zij zongen: 'Het regiment van Mussert voelt zich zwaar verneukt'. We dachten: verrek, wat is daar aan de hand. Toen kwamen we boven en toen zeiden ze: 'Nou, ze zijn hier mesjoche.' 'Hoe zo?' 'Je moet bij de compagniescommandant komen, dan ben je hier nauwelijks een paar dagen en dan zegt hij: "Hoe lang wil je je verplichten: vier, acht, of twaalf jaar."' Ja, dat was gebruikelijk. Die Duitsers waren al blij dat ze niet afgekeurd werden, want dat was een elitekorps en die hadden de smoor in als ze werden afgekeurd en die lui begrepen er niets van.

Maar er was een contactstoornis met Berlijn en met München. En zij seinden dat dus naar Berlijn, want er waren nooit buitenlanders in dienst geweest, bij geen enkele eenheid. Dat kan in geen land trouwens. Of het moet het vreemdelingenlegioen zijn. En die zei: 'Begin alvast maar vast met de opleiding.' Maar ja, we hadden uit het raam gekeken hoe die Duitsers gedrild werden. Wij zeiden: 'Daar zijn wij toch veel te fijn voor gebouwd. Daar beginnen we nooit aan.' Maar ja, ze waren zo; ze wilden eerst een uitsluitend Nederlandse eenheid maken. Maar in het begin zijn er een heleboel weggegaan, die vonden het te zwaar, die konden het niet kloppen, en toen hadden we zeg maar half Duitsers, half Nederlanders. En toen lagen er op een kamer bijvoorbeeld acht Nederlanders en acht Duitsers. Dat werd een soort rivaliteit. En toen heb ik daar verschillende opleidingen meegemaakt. Een infanterieopleiding en later voor de zogenaamde [?], dat waren dus motorrijders voor verkenning en de laatste maanden ben ik bij de 13e compagnie infanteriegeschut geweest.

WB: En toen terug naar Nederland.

Wij hadden ons dus... En vanuit Berlijn kwam bericht, je kon je ook voor een half jaar verplichten en dat deden de meesten. Anderen niet, die waren beroepszielsoldaat, beroepsmilitair en van het KNIL [Koninklijk Nederlandsch-Indië Leger] en van het Nederlandse leger. En mijn broer die liep daar zijn batterijcommandant tegen het lijf. Hij is al dood, ik kan zijn naam noemen; Putman Cramer. En toen zei hij tegen 'm: 'Nou, je was altijd zo aan het vloeken tegen die Duitsers, toen met die meidagen ook.' Hij zegt: 'Ja, ik ben beroepsmilitair en als het tij verloopt moet je de bakens verzetten.' En die Duitsers maakten dermate eclatante successen, dat tot na '42 dachten de meeste mensen: ze kunnen praten wat ze willen, die Duitsers kunnen de oorlog niet verliezen.

Driessen

WB: U vertelde van die functie die u kreeg. U werd secretaris van de heer [C.J.] Huygen. Wat was Huygen?

Hij was secretaris-generaal van de NSB.

WB: Wat ben je dan?

Nou, hij was eigenlijk de leider van de partij, in die zin, dat Mussert, die ging zich meer met staatszaken bemoeien, en Huygen die deed dan de interne partijleiding.

WB: Dus u had uw werk op het Hoofdkwartier. Kunt u eens beschrijven hoe dat was? Was dat een gewone normale administratieve organisatie of was dat meer?
Nou, er werden vandaar parolen uitgegeven aan de districtleiders, kringleiders, wat er moest gebeuren en daar was Huygen in eerste instantie verantwoordelijk voor, natuurlijk in overleg met andere mensen van de Beweging, en ook in nauw contact met Mussert.

WB: Naderhand is gebleken dat de samenhang niet erg groot was. Het was nog niet zo'n straffe organisatie als wij eerst dachten. Veel jaloezie, baantjesjagerij?
Ja, dat is natuurlijk waar, maar dat heb je in iedere menselijke samenleving. Het was zonder twijfel ook in de NSB en dat was wel teleurstellend.

De Munck

Ja, na zes maanden vooroorlogse opleiding ben ik terug naar Nederland gegaan. En nou ja, toen moest ik weer aan de slag en toen heb ik gewerkt bij het bureau voor Duitse zaken, dat was een onderafdeling van het gemeentehuis in Hoofddorp. Aanvankelijk op kantoor en later in de buitendienst, want die boeren die hadden zoeklichten en luchtdoelgeschut in hun land. En ja, daar konden ze niet verbouwen, dus dat moest worden opgemeten, ze kregen daar schadevergoeding voor, en dat deed ik dan met driehoeksmeting. Een hele leuke tijd gehad, maar toen ik dus uit militaire dienst wegging toen kon je je melden in Nederlandse dienst voor de Marechaussee en dat heb ik gedaan. En toen kreeg ik in 1941 een oproep en ben ik naar het opleidingsbataljon in Schalkhaar gegaan. [...]

Toen ik dus uit militaire dienst ontslagen ben na die viereneenhalve dag [oorlog], toen kon je je melden voor de Marechaussee. Daar voelde ik wel voor, bij de politie en bij de Marechaussee, dat vond ik een fantastisch beroep. En toen kreeg ik ook, zoals ik verteld heb, in '41 die oproep. Toen kwam ik in Schalkhaar, daar heb ik die opleiding meegemaakt. We troffen er ook de officieren van allerlei wapen, infanterie en artillerie, en een vaandrig van de luchtmacht en een officier van de mariniers. En daar werden wij opgeleid. Wij hadden daar de Duitse exercitie. En hier in Nederland hebben ze nu de Engelse exercitie en voor de oorlog hadden we de Franse exercitie, honderdtwintig passen in een minuut. Als je tien kilometer gelopen had, had je de blaren al op je voeten.

WB: Maar die Schalkhaarders werden dus agent van politie hè?
Die werden opgeleid, die waren aspirant-politieagent. En dan moest je natuurlijk, we kregen ook les van heel bekwame instructeurs van de Politieschool Hilversum, die voor die tijd ook aan de opleiding van de Marechaussee hadden deelgenomen. Daar kregen we les van. En dan moest je ook examen doen en je kon voor die tijd afvallen vanwege niet-voldoende kennis of niet-geschikt zijn. En de bedoeling was dan, dat na de grote steden, zouden dus... Elke stad zou

een bataljon van die troepen krijgen, en die moesten hoofdzakelijk optreden om orde te bewaren of ordeverstoring te beperken. Dat was eigenlijk hun taak.

WB: Ja, het waren dus zeg maar politiestrijdkrachten die loyaal waren tegenover de Duitsers.
Ja, vanzelfsprekend. Maar de meesten waren nergens lid van; want ze zeggen altijd: dat Schalkhaar, dat was een NSB-bataljon, nou als er vier procent lid was, maar de meesten waren geen lid, maar die profiteerden wel van de mogelijkheden. Want je kon tot in de hoogste rangen opklimmen als je daar geschikt voor was. En voor de oorlog was dat alleen als je gymnasium, of vijfjarige HBS had. Dat was niet als je geschikt was.

WB: Dus u kreeg wel een slechte naam.
Wat heet slechte naam? Dat heb ik wel meer gezegd: 'van horen zeggen liegt men veel' en 'waar de klok van de laster luidt' en 'zo gauw een gelovige gemeente bijeen'... Bovendien zijn er heel veel Nederlanders van mijn leeftijd, nou, die hebben nog wel het een en ander te verbergen. En ik heb destijds gezegd tijdens de bezetting: 'Als de Duitsers kans zien om ons voor vijf cent een reep chocola en een dubbeltje een Karel I-sigaar te verkopen dan roepen ze allemaal Heil.'

WB: Maar even de Schalkhaarders, die hadden een slechte naam.
Vanwege hun optreden bedoelt u. Dan moet u bij de normale politie zijn, dat kunt u in de krant lezen, het is uitgebreid aan de orde gekomen, ook in de brochure van dokter Van der Vaart Smit van hoe heet dat ook al weer (zoekt even), *Moraliteitsverval*, daar kunt u dat precies lezen. En nu wordt het dan verteld bij die uitzending van De Jong: 'Ze stopten de gemeentepolitie vol met NSB'ers.' Waar moesten ze die dan vandaan halen?

WB: Nou, uit die Schalkhaarploeg.
(Zoekt nu in zijn spullen.) Kijk, dat is *Vrij Nederland*: 'De Nederlandse politiemensen die joden naar Westerbork brachten waren uitsluitend bijna geen NSB'ers'. En voor ik wegging naar het front toen hoorden we zoiets verluiden van: er zijn knapen bij de politie, bij de gemeentepolitie en dergelijke en die meldden zich vrijwillig omdat ze een detachementstoelage krijgen en een lunchpakket om joden naar Westerbork te brengen. En toen zeiden wij tegen elkaar: 'Hoe halen ze het in hun hersens, laat die Duitsers het opknappen, dat is geen zaak voor ons...' Want u bent helemaal verkeerd ingelicht omtrent de mentaliteit van het opleidingsbataljon Schalkhaar. Er werd niet aan politiek gedaan. In zoverre, er werd wel een soort levensbeschouwelijk onderricht gegeven en dat was natuurlijk van wat allemaal het communisme voor slechtheids gebracht had en dat Hitler langs democratische weg aan de macht was gekomen en dat zijn volk hem op handen droeg, en dat ook buitenlandse diplomaten hem niet anders dan geprezen hadden.

Dus je zag dat ook op films, er was natuurlijk nog geen televisie en als je in Duitsland kwam dan zag je ook hoe enthousiast de mensen waren. Die waren allemaal helemaal geen lid van de partij. Want er wordt nu wel gesproken van nazi-piloten en nazi-marine mensen... Dus die waren allemaal lid van die partij? Dat is helemaal niet waar. Bij een autoritair bewind zijn altijd heel weinig mensen lid van de partij, dat is overal zo, dat is in Rusland, daar is het nog veel, daar was het geloof ik dertien procent als ik me niet vergis. Maar dat is altijd de minderheid.

Wervingsaffiche voor het ss-regiment Westland.

Boerenleider E.J. Roskam Hzn.

Joris van Severen, leider van het Verbond van Dietsche Nationaal-Solidaristen.

De politieopleiding te Schalkhaar.

5
De Leider

Wie werd er tijdens de oorlog, wie wordt er nu nog als 'fout' beschouwd? In de eerste plaats de mensen die lid waren van de NSB; de begrippen 'fout' en 'NSB' zijn vrijwel synoniem geworden. Deze gelijkstelling is eenzijdig. Wanneer men bewuste, niet op dwang gebaseerde collaboratie met de Duitsers 'fout' noemt, wanneer men de vrijwillige levering van oorlogsmateriaal aan de Duitsers, het vrijwillig uitleveren van landgenoten, het propaganda maken voor de Duitse zaak, in het algemeen vrijwillig werk voor de Duitsers, 'fout' noemt – en daar pleit niet veel tegen – dan omvat het begrip 'fout' een veel ruimere categorie dan alleen die van de NSB'ers.

Maar de identificatie van 'fout' met de NSB is begrijpelijk. De leden van deze partij kozen openlijk en op ideologische gronden voor de vijand. Zij wilden steunend op de bezetter een Nieuwe Orde, een nationaal-socialistische orde tot stand brengen. Omgekeerd moest de bezetter wel op de NSB steunen. De inheemse infrastructuur voor de realisering van hun doeleinden konden de Duitsers niet zonder de NSB opbouwen, al gebruikten zij ook elementen van buiten de NSB.

De NSB was de enige partij die voor de oorlog wat meer had betekend dan de tientallen fascistische splintergroepjes die Nederland sinds de jaren '20 kende. Dat was in niet geringe mate de verdienste van de stichter, Anton Adriaan Mussert, tot 1934 hoofdingenieur van de waterstaat van de provincie Utrecht. Hij was bekend geworden door de acties van een in 1925 opgericht Nationaal Comité tegen een ontwerp-verdrag met België, dat door velen als uiterst ongunstig voor Nederland werd beschouwd. Die actie had succes: de Eerste Kamer verwierp het verdrag. Mussert was weliswaar slechts secretaris van het Comité, maar hij was de ziel ervan en verwierf grote bekendheid. In 1931 richtte hij de Nationaal-Socialistische Beweging op en die partij had aanvankelijk ook succes.

Aan het stemmenverlies van 1937 was de partij zelf medeschuldig door de openlijke betuigingen van solidariteit met Duitsland en Italië. De partij was bovendien geradicaliseerd, in de eerste plaats onder de invloed van Meinoud Rost van Tonningen. Deze dynamische man, die zich tijdens een verblijf in Oostenrijk tot een fanatiek nazisme had bekeerd, was naast Cornelis van Geelkerken plaatsvervangend leider geworden. Een Haagse groep, voornamelijk bestaande uit WA-mannen, werd vlak na de Duitse inval zelfs even als 'SA-Rost' aangeduid. Achter hem had zich een vrij kleine radicale groep geschaard, die zich in tegenstelling tot Mussert baseerde op de Duitse nationaal-socialistische rassenleer. Dat was de 'volkse' groep, die kort na de Duitse inval onder leiding van Henk Feldmeijer een politieke, Nederlandse SS vormde. Menig NSB'er die het met de NSB-leiding oneens was of Mussert te slap of te burgerlijk vond, kon een politiek tehuis vinden in deze (formeel bij de NSB horende) Nederlandse SS en warm gemaakt worden voor een groot-Germaanse gedachte in plaats van het 'kleine, enge' Nederlandse of Dietse ideaal dat Mussert beleed.

In de hierna volgende getuigenissen vallen een paar dingen op: de twijfel aan Musserts leiderschap, de gedachte dat Mussert de gehele bezetting door eigenlijk een tamelijk verbeten strijd tegen de Duitsers moest voeren, en de warmte waarmee soms zelfs nu nog over hem gesproken wordt.

Dat Mussert 'anti-Duits' was en op zijn manier de Duitsers bestreed, is een gedachte die bij oud-NSB'ers uiteraard verklaarbaar is. Mussert zelf hanteerde dit idee – en geloofde het misschien ook nog – toen hij na de oorlog in de gevangenis, wachtend op zijn einde, een soort verantwoording schreef. Ook tijdens zijn proces, waarover het Rijksinstituut voor Oorlogsdocumentatie in 1946 een bronnenpublikatie samenstelde, ging hij uitvoerig in op zijn conflicten met (de) Duitsers.

Had Mussert na de Duitse inval de NSB moeten opheffen of althans stilleggen, zoals een hooggeplaatste NSB'er, Van Vessem, hem aanried? We hebben al gezien dat een eventuele Duitse inval al voor mei '40 door Mussert werd beschouwd als dé grote kans om zijn ideeën te verwezenlijken. Het was niet meer dan logisch dat na de capitulatie van het Nederlandse leger Mussert openlijk verklaarde zonder enig voorbehoud bereid te zijn tot volledige collaboratie.

Zijn aanhang ontving deze beslissing met enthousiast gejuich tijdens de massale bijeenkomst op het NSB-terrein op de Goudsberg bij Lunteren. Mussert kondigde toen ook aan een grote klok, die aan de partij toebehoorde, aan Goering te willen geven. Ook dit begroette zijn gehoor met luide instemming. Aangezien het Nederlandse volk nog onder de indruk was van het bombardement van Rotterdam door Goerings Luftwaffe, was dit zacht gezegd een politiek onhandig gebaar. Bovendien droeg de luide publieke aankondiging van onvoorwaardelijke samenwerking met de bezetter er nog eens toe bij dat niet Mussert, maar de Duitsers de voorwaarden konden stellen. Dat zouden zij gedurende de hele bezetting blijven doen.

Mussert achtte het vooral in de beginjaren nodig om zich bij de Duitsers als betrouwbare, willige bondgenoot te afficheren. Daarom deed hij concessies, daarom reisde hij in december 1941 naar Berlijn om persoonlijk aan Hitler een eed van trouw af te leggen; iets dat hij een tijdlang tegenover zijn eigen partij niet durfde te erkennen.

Gedurende de bezetting ontstonden er wrijvingen tussen Mussert en de Duitsers en groeide de wederzijdse irritatie. De ontwikkeling van de oorlog, de toenemende schaarste in Nederland en de steeds harder wordende Duitse maatregelen stelden vele NSB'ers en zeker ook de Leider teleur. Maar telkens weer wisten de Duitsers hem ertoe te bewegen voort te gaan op de weg die hij in 1940 was ingeslagen. Vooral de politieke adviseur van Seyss-Inquart, Fritz Schmidt, en ook Hitler zelf – tijdens de weinige gelegenheden dat Mussert hem ontmoeten 'mocht' – toonden hierin grote handigheid.

De Germaansche (Nederlandse) SS was daarbij meestal de hefboom waarmee men de tegenstribbelende Leider kon dwingen. Zelfs op ideologisch gebied kregen de Duitsers Mussert bij stukje en beetje 'verder' en zij vonden ook op het Hoofdkwartier van de NSB wel functionarissen (en niet eens altijd lid van de Germaansche SS) die meehielpen Mussert in de gewenste richting te sturen. Wat was dat voor een Leider, riep Himmlers zetbaas in Nederland, de Höhere SS- und Polizeiführer Rauter eens uit, die altijd door zijn volgelingen geleid moest worden?

De Duitsers waren zelf ook in een interne machtsstrijd gewikkeld. Deze speelde zich vooral af tussen de NSDAP, de Duitse nazi-partij, waarvan Schmidt de belangrijkste representant was, en de SS, vertegenwoordigd door Rauter. Mussert wist deze machtsstrijd niet uit te buiten, onder andere omdat hij hiervan een naïeve notie had. De SS zag hij meestal als de boze tegenstander; tegen Himmler en diens Duitse en Nederlandse trawanten zouden Hitler en Schmidt (in Den Haag) hem beschermen. Onnodig te zeggen dat een wezenlijke politieke tegenstelling tussen Hitler en Himmler, zoals Mussert die zag, eenvoudig niet bestond.

Mussert kreeg steeds meer, en terecht, zijn twijfels over de bedoelingen van de Duitsers. Binnenskamers gaf hij daar ook vaak uiting aan. Maar stelling nemen tegen de bezetter deed hij zeer zelden en dan nog versluierd en voornamelijk toegespitst op het inderdaad onfraaie spel, dat de Duitsers met de NSB speelden. Maar dat was nu iets wat de meeste Nederlanders volstrekt niet interesseerde of wat hun juist groot genoegen deed.

Het zou in ons bestek onmogelijk zijn dit alles in concrete details te verhalen. Laten wij volstaan met enige voorbeelden. Nimmer kwam Mussert tot enigerlei vorm van protest tegen de jodenvervolging. Vermoedelijk had hij ook hier zijn twijfels, zeer zeker was hij niet een van de eersten die de Duitsers wilden inlichten over de deportaties of het lot van de gedeporteerden. Het is typerend voor Mussert, dat hij voor zover bekend alleen werkelijk geraakt werd door het feit dat hij gedwongen werd de weinige joden die nog lid van de NSB waren, te royeren. Het deed hem pijn, maar hij gaf het alleen in vertrouwde kring toe.

In februari 1943 besprak Mussert in *Volk en Vaderland* een protest van de Nederlandse kerken tegen het oppakken van joden en studenten. Zeker, de bewoordingen van Mussert, die de kerken het recht tot protesteren niet wilde ontzeggen, waren meer dan voldoende om de Duitsers tot razernij te brengen. Men moet evenwel bijzonder spitsvondig zijn om er een 'anti-Duitse' houding in te ontdekken. De meerderheid van de Nederlandse bevolking zag het zo absoluut niet, te meer omdat Mussert de schuld voor een en ander aan 'communistische organisaties' weet, waartegen de bezetter wel moest optreden.

Toch hadden de Duitsers als zij in die tijd Mussert ervan verdachten zich van hen te distantiëren en een weg terug naar het Nederlandse volk te zoeken, niet helemaal ongelijk. Eind april, begin mei 1943 barstten overal in het land stakingen uit vanwege het Duitse plan alle leden van het voormalige Nederlandse leger voor de Arbeitseinsatz naar Duitsland te deporteren. De Duitsers sloegen die stakingen met grof geweld neer. Het betekende het politieke failliet van de NSB en dat werd nu zelfs voor de grote massa van de leden duidelijk. Men voelde zich gehaat door het eigen volk en bedrogen door de Duitsers.

In die atmosfeer hield Mussert op 5 juni een rede voor het NSB-kader in het Tivoli-gebouw te Utrecht. Nooit had hij zich in het openbaar zo kritisch over de Duitsers uitgelaten. Zijn trouwe aanhang – nog altijd de meerderheid in de NSB – juichte hem uitbundig toe, de SS-gezinden en enkele Duitse eregasten zaten er met stomheid geslagen bij. Was die rede nu werkelijk anti-Duits? Mussert hekelde het 'groot-Duitse annexionisme' van de SS, maar verdedigde het wegvoeren van voormalige Nederlandse militairen, de Arbeitseinsatz en andere Duitse maatregelen als noodzakelijk voor de Duitse oorlogsinspanning. Bovendien stemde hij er onder Duitse druk in toe, zich twee weken later eveneens in het openbaar met de SS te verzoenen. Weer enige weken later had hij een gesprek met Himmler, die er nota bene in slaagde om Musserts vele bezwaren tegen de SS voor een groot deel te ontzenuwen. In ieder geval wierp Mussert zich weer volledig op de werving voor de Waffen-SS onder zijn aanhang. De verzoening met de SS duurde weliswaar niet lang maar de terugkeer naar de harten van het Nederlandse volk was allang onmogelijk geworden. Musserts aanhang ging niet in het verzet. In het zicht van de dreigende Duitse nederlaag radicaliseerde de NSB juist in Duitse nazi-richting.

In september 1944, toen de geallieerden de Nederlandse grens naderden, stortte de NSB volledig in elkaar. Mussert eindigde waar hij in 1940 was begonnen: hij mobiliseerde wat er van de NSB over was volledig voor de Duitse oorlogsinspanning.

GETUIGENISSEN

Zijlmaker

WB: *Mag ik u eens wat namen voorleggen van mensen die u heeft gekend? Natuurlijk in de eerste plaats Mussert.*
Ja, ik heb dus in de eerste plaats Mussert gekend.

WB: *Wat was dat voor iemand?*
Ja, Mussert was dus eigenlijk een man die een hele carrière had gehad voordat hij bij de NSB kwam en hij heeft er toe bijgedragen dat het Nederlands-Belgisch verdrag door de Tweede Kamer werd afgekeurd, waardoor de minister van Buitenlandse Zaken [dr. H.A.] Van Karnebeek indertijd dus ook zijn demissie heeft genomen.

WB: *Maar nu als mens, hoe was hij?*
Ja, als mens was hij dus een duidelijke trait d'union tussen de arbeiders, de werknemers en de werkgevers. Want hij had altijd zeer goed samengewerkt met verschillende arbeiders en werknemers die bij de waterstaat waren. En dat kon je dus merken, hij had een zeer volkse manier van aanpak. En bovendien was het iemand die academisch geschoold was, waar men bij alle mogelijke andere fascistische groeperingen niet aan toe was gekomen.

WB: *Toch hebben de Duitsers achteraf gerapporteerd, onder meer Rauter, dat Mussert een heel middelmatige man was. Vond u dat ook?*
Ja, misschien wanneer men het met de Duitsers vergelijkt, maar men moet tevens rekening houden met het feit dat Duitsland een heel andere cultuur had dan Nederland. Dus hij was veel meer internationaal opgesteld, ook al door zijn verschillende talenstudies, en hij zag dus Nederland meer als een trait d'union tussen de grote mogendheden: Engeland, Frankrijk en Duitsland.

WB: *Was hij een krachtig leider?*
Ja, soms wel, soms niet.

WB: *Er wordt nogal eens gezegd dat er nogal eens wat ruzie was op het Hoofdkwartier. Klopt dat? Allemaal kleine leidertjes en geen grote leider.*
Ja, dat is mogelijk. U moet natuurlijk dit zien, ik zat in de provincie en ik had dus weinig kijk op datgene wat er op het Hoofdkwartier gebeurde. En dat gebeurde dus meestal achter gesloten deuren, dus daar vernam de buitenwereld niets van.

WB: *Geen geruchten?*
Nee, er waren dus ook geen geruchten. Alleen was er natuurlijk de kwestie dat

Mussert een zeer besliste antipathie had tegen de SS. Dat was dus algemeen bekend. En Mussert, zelfs een gedeelte van zijn loopbaan, was hij dus in zekere zin anti-Duits.

WB: Was u voor Mussert of juist voor die anderen, bijvoorbeeld voor de heer Rost van Tonningen?

Ja, daar was natuurlijk vooral in latere jaren een tegenstelling tussen Mussert en Rost van Tonningen, wat dan speciaal zich uitte in de SAR, 'Steeds achter Rost', een groepering uit WA-lieden en dergelijke, waarbij dus ook Feldmeijer nogal een bepaalde rol heeft gespeeld.

WB: Was u daarbij?

Ik ben dus niet daarbij geweest. Ik voelde dus voor een verzoening tussen beide richtingen, en ik heb dus steeds, aan de ene kant heb ik Mussert gesteund, terwijl dus aan de andere kant in de SS ook grote tegenstellingen bestonden. Want u moet dit rekenen, dat van de algemene SS in Duitsland, dat was in 1939 op 1 januari, was dus meer dan negentig procent kerkelijk verbonden. Dus de hele heidense visie op de SS, die men tegenwoordig eigenlijk heeft, dat was maar voor een beperkt, gering gedeelte waar. Bovendien bestond er van de zijde van Himmler het strenge verbod om over kerkelijke kwesties te gaan twisten en daar dus meningsverschillen over te gaan uitdragen.

Van de Berg

Nee, nou gaat het erom waarom, en dat staat ook weer, en dat staat ook weer in die brochure die het Nederlandse volk niet lezen mag, van Musserts verantwoording. Is wel bij [het Rijksinstituut voor] Oorlogsdocumentatie bekend, maar ze geven het niet uit, hè, want dan kunnen ze de boeken van De Jong wel dumpen hoor. En daar staat duidelijk in, dat Mussert geprobeerd heeft met deze klok, en ik zie de klok nog door Amsterdam komen, waar we allemaal slaafs voor hebben geofferd, en ik zie hem nog luiden in Lunteren. Mussert heeft deze klok zuiver gegeven in de hoop dat die Goering op een gunstiger pad voor onze begrippen kon krijgen.

Maar op diezelfde dag dat Mussert... is het tot een grote breuk met Mussert gekomen en Goering, want Goering wist onze taal uit te leggen als een dialect. En hij verstond niet alle dialecten, en toen heeft Mussert ruzie gekregen met Goering. En daarom was Goering, Himmler, maar vooral Rauter waren de grote vijanden van Mussert. Er was maar één man waar Mussert vertrouwen in had. Dat was Fritz Schmidt en Hitler.

Maar datzelfde heb ik ook... Wij hadden het veel slimmer, want wij hadden de moffen tegen. Wij moesten vechten tegen de moffen. De Hollandse nationaliteit tonen, daarom ben ik ook zo trots op de *De Ruyter-cantate*, die prachtige nationale demonstratie van de [Jeugd-]storm... En ik ben trots op mijn Nederlandse liederen, dag in, de hele oorlog hebben we het Wilhelmus gezongen. Ja, het zesde couplet hè, niet het eerste, maar een zinnetje : 'De tirannie verdrijven die mij mijn hart verwondt', heeft Mussert ons de hele oorlog laten zingen.

En als er vergaderingen waren, dan zaten we daar, vooral de laatste vergaderingen van Mussert in Tivoli [in Utrecht], afgeladen vol natuurlijk. En op de voorste rij zitten de Duitsers. Mussert gaat spreken en vertelt: 'Kameraden, we zitten op het moment in een verhuizing, zo moet je die oorlog zien.' Van de oude tijd naar de nieuwe tijd. Hij zei: 'Het is natuurlijk een grote puinhoop en hoe het er na de oorlog, na de verhuizing uit zal zien, misschien zijn het er een duizend die er iets van snappen, de rest snapt er niets van.' Je durfde geen adem meer te halen, want hoe durfde Mussert dat te zeggen. Daar zaten de Duitsers, daar zaten ze... dat kun je toch niet zeggen als daar de Duitsers zitten.

Nou, doodse stilte en een spanning. Mussert ging gelukkig verder. Hij zei: 'Kameraden, in Duitsland zijn er misschien een 100 000 die het snappen, de rest snapt er net zo min wat van.' En toen kregen de Duitsers die ene veeg uit de pan dat ze geen kak moesten hebben en toen had u de zaal moeten horen. Dat Tivoli niet afgebroken werd op dat moment, onbegrijpelijk. Want als een zucht kwam het denderende: 'MUSSERT!' Geweldig, geweldig mooi, zo nationaal als wij op dat moment weer naar voren konden komen. Maar ja, dat zag het Nederlandse volk niet. Ook de haat, dat gekanker op de moffen, bij ons, was groot. Ze hadden bij ons moeten komen. [...]

Nee, mijn keuze niet. Mijn keuze is honderd procent zuiver geweest, met Mussert. Anders zou ik hier deze kaars die heb ik nu branden voor Mussert, om hem te blijven eren, omdat hij me het eerlijke voorgehouden heeft, en nooit geen gemenigheid, want dat ligt Mussert niet, gemenigheid. Ze kunnen hem nooit... Ja, ze kunnen het wel verdraaien, maar ze kunnen hem nooit met een vinger, want als hij een daad gedaan heeft, en daarom heeft hij ook een brochure in de gevangenis geschreven, zijn verantwoording. Het wordt alleen jammer genoeg niet bekend gemaakt, maar Mussert heeft zich duidelijk willen verantwoorden aan het Nederlandse volk. Heel duidelijk.

Van der Veen

In het volgende heeft Van der Veen het onder meer over het beruchte 'Englandspiel': tientallen Nederlanders, die vanuit Engeland in Nederland werden geparachuteerd om een wijdvertakte sabotageorganisatie op te zetten, vielen bijna allemaal in Duitse handen, door de incompetentie van de Britse organisatie, en het handige gebruik dat de Duitsers daarvan maakten.

WB: Mussert, heeft u die meegemaakt?

Ja, ik heb hem in zoverre maal een bijeenkomst van partijfunctionarissen, twintig, vijfentwintig man geloof ik, daar heeft hij maal voor gesproken. We hebben hem een hand gegeven. Maar meer ook niet.

WB: Wat voor indruk had u van hem eigenlijk?
Ha, een man die weet wat hij wil.

WB: Het is eigenlijk slecht met hem afgelopen. Hij heeft er in de oorlog eigenlijk niet veel van gemaakt.
Dat kon hij ook niet. Wat zou hij er dan van maken? Wat hebben dan die ministers, die gevluchte ministers in Londen, wat hebben die er dan van gemaakt? Bijvoorbeeld [minister-president mr. P.S.] Gerbrandy met zijn zeehondensnor: niets anders als het Nederlandse volk... Die hebben ontelbare mensen in de dood geschikt, agenten. Alhoewel het bekend was, er zijn zelfs Nederlanders, die zijn naar Engeland gevlucht. Die hebben daar gezegd – dat war het zogenaamde Englandspiel – die hebben gezegd: die Duitsers die weten alles, die funken met hun hengels en die weten genau waar die agenten landen, die hebben ze direct gevangen genomen en die waren allen doodgeschoten. En als die vluchtelingen dat in Engeland erzählt hatten dan werden ze zelf vastgezet in plaats van dat er naar geluisterd is.

WB: Nog even over Mussert. Hij had ook met allerlei vrouwen relaties, hè?
Oh, dat is me niet bekend. Nee, dat is mij absoluut onbekend. Ik had het nog wel aannemen willen van Van Geelkerken. Want dat zeiden ze zelf al in die tijd: 'Dronken Keesje'.

WB: Kende u hem verder?
Nee, ik heb hem wel horen spreken en zo, maar verder ken ik die jongen niet.

WB: Hoe vond u voor de oorlog de leiding van de NSB *eigenlijk?*
Goed.

WB: Maar in de oorlog was dat toch wat minder?
Vond ik ook goed. Ja.

Driessen

Wanneer Driessen het hier over de 'Nederlandse maandnamen' heeft, bedoelt hij de door de NSB gebruikte vermeende oud-Nederlandse aanduidingen als 'Louwmaand' voor januari, enzovoort.

WB: Mussert, kunt u die eens beschrijven.
Ik heb hem dus een paar keer meegemaakt. In de eerste plaats natuurlijk veel op vergaderingen en zo, maar ook op het Hoofdkwartier. Ik moest eens een keer bij Huygen komen, die vroeg of ik even wilde komen, daar was Mussert ook, en dat ging over brieven, de brieven die van mij uitgingen. Daarvoor gebruikte ik de maandnamen, de Nederlandse maandnamen: 'Louwmaand' voor januari

enzovoorts. En hij zei toen dat hij wel graag zag dat voortaan ook de gewone namen daarvoor gebruikt zouden worden. Hij zei dat er ooit eens een razende Roeland was geweest op het Hoofdkwartier en die had dat ingesteld, maar een heleboel mensen begrepen dat niet en daarom moest dat veranderen. Nou, ik zei dat het in orde zou komen, ging weg, en toen vroeg hij aan Huygen: 'Wat is dat voor een salonbolsjewist?' Ja, dat kwam omdat ik gekruld haar had en, dat hoorde ik dan naderhand van Huygen...

WB: Een beetje lang gekruld?
Nou, lang niet, want dat was in die tijd niet gebruikelijk, maar wel krulletjes in plaats van netjes achterover.

WB: Hij was enorm burgerlijk, hè?
Dat vond ik wel, ja.

WB: Maar dat was natuurlijk de hele beweging?
Nou, je had dus een revolutionair element als bijvoorbeeld Feldmeijer en als die heel 'volkse' groep. Nou is dat natuurlijk ook, maar op zekere hoogte is dat zo, want er waren toch een heleboel mensen die revolutionair-volks waren, maar die toch raar zouden hebben opgekeken als ze op een barricade waren geplaatst om te gaan vechten.

WB: En Mussert was daar natuurlijk het symbool van. En later is gebleken dat het misschien niet zo een erg goede leider was.
Dat weet ik niet, ik geloof niet dat je van een goede leider kunt spreken. Mussert die heeft zijn aanhang in de beginjaren. We weten, dat in '35 had hij acht procent van de bevolking achter zich bij de Provinciale-Statenverkiezingen. Maar juist het burgerlijke element sprak een heleboel mensen aan, en die sloten zich daarom bij de NSB aan. En dat maakte een minder revolutionaire indruk ten opzichte van arbeiders bijvoorbeeld. Maar ja, de fatsoenlijke, nette burgerman, ingenieur cum laude, op zeer jonge leeftijd hoofdingenieur van de provinciale waterstaat in Utrecht, dat was wel wat anders dan de fascistische beweging die ze in Nederland tot op dat ogenblik hadden gekend. En daarom kregen juist die burgerlijke kringen, kreeg je toen die grote aanhang.

WB: De Duitsers mochten hem niet.
Dat geloof ik niet, nee. Hij werd dus ook in de beginperiode genegeerd door de Duitsers. Hij zat te wachten tot hij een oproep zou krijgen, maar die kwam niet. En dat is voor hem werkelijk wel een bijzondere teleurstelling geweest, denk ik.

WB: Mussert heeft natuurlijk voortdurend, vanaf het begin van de oorlog, de meidagen, concessies gedaan.
Als het er om ging om een zelfstandig Nederland, een sterk zelfstandig Neder-

land, waarnaar hij streefde, bleek hem al spoedig dat dat er niet in zat. Ja, en dan krijg je concessies. Bijvoorbeeld iemand als [mr. A.J.] Van Vessem, die toch wel een belangrijke adviseur van hem was, die had hem geadviseerd om de Beweging op te heffen en dat heeft hij niet gedaan. Hij was natuurlijk ook wel een beetje eigenwijs, iets doorzetten wat hij in zijn hoofd had, ook als hij niet kon voorzien of het wel tot een goed resultaat zou leiden.

WB: Hij is naar Duitsland gegaan, hij heeft een geheime ontmoeting met Hitler gehad. En hij is daar al begonnen met dingen toe te zeggen die hij niet waar kon maken.
Hoe bedoelt u dat?

WB: Hij zou het Nederlandse volk wel achter zich krijgen, terwijl de afkeer toenam.
Ja. Dat is tot op zekere hoogte juist. De Beweging die ging van het standpunt uit dat het Nederlandse volk zich eens achter de NSB ging scharen. Daar geloofden we zonder meer in. En dat het iets tegen liep, dat kwam door de oorlogsomstandigheden, waardoor de Nederlanders een slecht idee van het nationaal-socialisme zouden krijgen.

WB: Inmiddels deden de Duitsers de knoet erover. Had u niet het idee dat je daarmee natuurlijk geen zielen wint?
Nee, maar dat waren de omstandigheden. Mussert distantieerde zich ook vaak van allerlei dingen. Het wegvoeren van de officieren en gijzelaars neerschieten, daar heeft hij heel erg tegen geopponeerd.

Kardoes

WB: Dan wilde ik nog graag met u spreken over Mussert. Dat was de man die, uw Leider, maar later blijkt, uit de oorlog ook al een beetje, was dat niet zo een gezaghebbend iemand.
Nee, hij werd dus erg tegengewerkt door de SS. De meeste Nederlanders weten ook niet de enorme tegenstelling die er ook bestond tussen vooral de oude NSB'ers waar ik er dus een van was en ook mijn familie, en de SS, die via Rost van Tonningen dus eigenlijk hier in de NSB geïntegreerd trachtte te worden. En ja, ik heb me ook nooit gemeld bij de Waffen-SS of bij het Nederlandse Legioen of dergelijke dingen. Niet uit lafheid hoor, echt niet, er moet eerst vrede zijn.

WB: Maar Mussert was uw leider, en dat blijkt nu, dat hij eigenlijk al onderhands met de Duitsers...
Hij heeft indertijd de eed van trouw afgelegd aan Hitler in de oorlog dus, toen het oorlogsgebeuren natuurlijk een stuk belangrijker was. Als we dat Europees of wereldlijk kunnen bekijken, dan dat partijtje hier wat geen aanhang had onder het Nederlandse volk van enige betekenis. Dus wat zou er voor Nederland

kunnen gebeuren als Duitsland de oorlog zou verliezen, dat was voor ons een schrikbeeld.

Want dan was het min of meer Mussert of Moskou hè, dat zat er dus heel dicht tegenaan. U moet ook niet vergeten dat er een behoorlijk antikapitalistische reden is geweest waarom er NSB'ers zijn geweest. Die democratie die zagen wij als een organisatie die toch beheerd wordt door het kapitaal, misschien dat er ook antisemitisme doorheen sluipt dan weer. Dat is natuurlijk wel verklaarbaar, die combinatie te leggen en... nou ja, wij waren nou eenmaal socialist. We waren voor een volksgemeenschap en niet voor de hokjesgroepen die we voor de oorlog kenden, en die, naar mijn overtuiging tóen, amper acceptabel is voor een volk om verder te komen.

WB: Maar ik heb ook de indruk dat, om nog even bij Mussert te blijven, dat veel NSB'ers veel loyaler ten opzichte van Mussert zijn geweest dan de man ooit verdiend heeft.
Ja kijk, afgezien van die eed aan Hitler, wat dus was in een tijd dat het ging om zijn of niet zijn, niet van Duitsland alleen, maar van het totaal. Waar Mussert dan maar een schaduw is bij Hitler... Nou ben ik uw vraag vergeten.

WB: De vraag luidt: Mussert, de Duitsers vonden dat ook, was een middelmatig man.
Ja, dat vonden de Duitsers zeker, en dat was hij waarschijnlijk in de ogen van de Duitsers ook terecht. In vergelijk met een Hitler.

WB: Toch was hij uw hoogste autoriteit.
Ja, die autoriteit van Mussert viel dus in die oorlog en door de verschrikkelijke en hevige gebeurtenissen van die oorlog van het zijn of niet zijn, viel Mussert volledig, als een schaduwfiguur weg naast Hitler. Ik wil niet zeggen dat Hitler mijn leider werd, maar het zou wel de redding zijn voor de overwinning, het zou wel de garant zijn voor de overwinning. Dus alles wat tegen Hitlers belangen zou gaan, zou tevens het einde betekenen van het totaal, waar Mussert dan geen enkele rol meer in speelde. Mussert heeft alleen ons voor de oorlog in die richting geduwd, niet in de richting van Hitler, maar in de richting van het systeem, wat niet alleen in Hitler, maar in Italië was. Het was er trouwens in Engeland ook, het was er in Frankrijk ook, in kleinere mate. Het fascisme was overal.

NATIONAAL-SOCIALISTISCHE BEWEGING IN NEDERLAND

BUREAU VAN DEN LEIDER
MALIEBAAN 35, TEL. 16541 (3 LIJNEN)
UTRECHT

Utrecht 10 Februari 1943.

Mijn Führer,

Ik verzoek U mij toe te staan de orde en de rust in Nederland te herstellen.
Ik ben bereid en in staat de volle verantwoordelijkheid daarvoor op mij te nemen.
Dit is noodzakelijk en rechtvaardig.

Mussert.

Ontwerp telegram aan den Führer besproken met den Rijkscommissaris des avonds van 10 Februari Plein 23.
Niet door den Rijkscommissaris verzonden omdat hij hierin zag een verzoek om zijn afzetting als R.C. hetgeen niet de bedoeling was.
Afgesproken is:
Ik ga de zaak nader bespreken met C.G. Schmidt op 11 Februari.
Daarna algemeene samenkomst met den R.K. op 12 Febr.

Een brief aan Hitler die Mussert besloot niet te verzenden.

De Leider ontmoet de Führer, 12 december 1941.

De Leider op handen gedragen.

De klok van de NSB.

6
Jodenvervolging

De getuigen is met nadruk gevraagd naar hun herinneringen aan de jodenvervolging. In hun antwoorden zijn zij niet bijster uitvoerig geweest. De getuigen realiseren zich dat de niet-NSB'ers moeilijk of helemaal niet kunnen begrijpen hoe zij actief hebben kunnen zijn in de politieke partij die in ons land bij uitstek met jodenhaat en de deportaties wordt geassocieerd. Zij proberen daarom bij de toehoorders begrip te wekken voor hun positie en hun uitlatingen zijn juist als het om antisemitisme en de moord op de joden gaat, afhoudend en apologetisch.

Niet alles wat zij beweren is volkomen onwaar, maar hun uiteenzettingen overtuigen niet, omdat zij vage en loze verontschuldigingen op elkaar stapelen. Dit roept onwillekeurig de vraag op hoe belangrijk zij hun verdediging op dit punt vonden voor de rechtvaardiging van hun politieke keuzes. In hun ogen heeft de vernietiging van de joden niet het belang en niet de betekenis die niet-NSB'ers en zeker de naoorlogse generatie daaraan hebben toegekend.

In het begin van de jaren dertig, toen de eerste van de getuigen lid werd van de NSB, was de Beweging geen antisemitische partij. Het partijprogramma was althans niet anti-joods en Mussert had joden toegelaten tot het lidmaatschap. Misschien was dit aantal gestegen tot ongeveer honderdvijftig joden in de zomer van 1935, toen de partij 40 000 leden telde. Als dit aantal juist is, impliceert dit dat naar verhouding zeer weinig joden tot de NSB wilde toetreden. De door een van de getuigen geuite bewering dat de NSB-groet 'Hou-Zee', de groet van de zeehelden De Ruyter en Tromp, een concessie was aan deze joodse leden, is een verzinsel.

In 1934 had Mussert inzake de 'jodenkwestie' een ingewikkeld en quasi-genuanceerd standpunt ingenomen. Hij meende niet – zoals een van de getuigen beweert – dat er geen 'joods probleem' bestond, maar onderscheidde drie groepen joden in Nederland. Tegen de nationaal-Nederlands voelende joden, onder wie de joodse leden van de NSB, had hij geen bezwaar, evenmin als tegen de tweede groep, de orthodoxe joden, die zich afzonderden. De immigratie van gevluchte Duitse joden achtte hij daarentegen 'bedenkelijk'.

De strekking van Musserts uiteenzetting werd echter in delen van de partij en ook in *Volk en Vaderland*, dat steeds antisemitischer van toon werd, genegeerd. In het tweede blad van de partij, *Het Nationale Dagblad* van Rost van Tonningen, werd Musserts opvatting zonder pardon opzij geschoven. Onder invloed van het groeiende antisemitisme onder de leden, de buitenlands-politieke expansie van het Derde Rijk en van Rost van Tonningen zag ook Mussert zich begin 1938 genoopt openlijk een principieel anti-joodse toon aan te slaan: '[...] wie duldt dat de Jood de beste kluiven krijgt terwijl zijn eigen volksgenoten verhongeren, die is een nationale slappeling en pleegt hoogverraad aan zijn eigen volk.' Enkele maanden later besloot de Leider op instigatie van Rost, maar ook onder druk van zijn eigen volgelingen, met pijn in het hart dat joden niet langer lid konden worden van de partij.

Een van de motieven die circa 60 000 NSB'ers hun lidmaatschap nog vóór de Duitse inval deden opzeggen, was de afkeer van de groeiende jodenhaat in de partij. Tot deze groep behoorden onze getuigen dus niet. Hiermee is natuurlijk niet gezegd dat zij feller anti-joods waren dan de andere kameraden.

De anti-joodse politiek van de bezetter, die aanvankelijk beperkt was tot de verbanning van de joden uit het ambtelijke en economische leven, werd door de NSB publiekelijk ondersteund in *Volk en Vaderland*. Directe invloed op deze politiek hadden Mussert en ook Rost niet. Wel vormden de provocaties van de WA in de Amsterdamse Jodenhoek zoals bekend mede de aanleiding tot de Februaristaking. De verscherping van de anti-joodse politiek in de periode daarna kreeg de steun van de NSB: in april '41 schreef *Volk en Vaderland* dat de joden 'een dodelijk nationaal gevaar' vormden. '[D]e Jood, iedere Jood, is een parasiet [...] Oplossing van het Jodenvraagstuk vereist verwijdering der Joden.' De bewering van twee getuigen dat het niet de NSB was die zich tegen de joden keerde, maar dat het de joden waren die deze reactie provoceerden door hun afkeer van de NSB, behoeft geen verdere ontkenning dan dit citaat.

De betrokkenheid van NSB'ers bij de roof van joods bezit werd door het bezettingsbestuur van Seyss-Inquart uitdrukkelijk bepleit en bevorderd als stimulans voor de trouw van de NSB aan de bezetter. Dit neemt niet weg dat het besluit de joden uit Nederland weg te voeren, dat vermoedelijk eind 1941 in Berlijn werd genomen, geheel buiten toedoen van Mussert tot stand kwam. Wel werd Mussert van deze beslissing op de hoogte gesteld. De schaal waarop in de kampen werd gemoord, en de manier waarop dit gebeurde, waren ook voor de top van de NSB lange tijd een geheim. Dat doorsnee NSB'ers als onze getuigen hierover beter waren geïnformeerd dan hun landgenoten, is niet waarschijnlijk. Wel moeten vele duizenden mensen – NSB'ers en niet-NSB'ers – zich hebben gerealiseerd dat de gedeporteerden vertrokken naar onbekende oorden, waar hun lot hard zou zijn en van waaruit geen berichten kwamen.

Volgens De Jong mag uit de instemming van de NSB met de deportaties uit Nederland niet worden geconcludeerd dat alle NSB'ers actief waren bij de deportaties. Veel joden zijn uit hun huizen gesleept door politieagenten die lid waren van de NSB; talloze anderen door politieagenten die niet tot de Beweging behoorden. Ruim 8000 joodse onderduikers zijn verraden; ook dit verraad was niet voorbehouden aan NSB'ers. Andersom hebben ook NSB'ers, zelfs NSB'ers, joodse onderduikers opgenomen.

Sommige NSB'ers waren – wie zal het zeggen – misschien minder anti-joods dan hun kameraden die bij de jodenvervolging behulpzaam waren; misschien was deze kwestie voor hen niet zo belangrijk. De Landwachter voert achteraf twee argumenten aan waarom hij zich niet verantwoordelijk voelt. Hij maakte zich toen niet zoveel zorgen over de joodse familie uit het dorp. In de latere wetenschap over het waarschijnlijke lot van de familie wijst hij er op dat deze familie niet door hem is opgehaald maar door de gemeentepolitie. Het was niet zijn probleem, het was een Duits probleem. Het moet worden erkend, dat ook veel niet-NSB'ers deze houding hebben aangenomen.

Van de Berg, het Utrechtse lid van de Wach- und Schutzdienst, heeft onder onduidelijke omstandigheden een joodse familie min of meer bevolen zich te melden bij de politie. Hij heeft er spijt van dat hij deze familie bang heeft gemaakt. Zijn tranen moeten het bewijzen. 'Het echte' wist hij toen nog niet. Pas in naoorlogse gevangenschap heeft hij begrepen wat het is om rechteloos te zijn: 'En toen kwam echt het jodenleed op mij af.'

GETUIGENISSEN

Kardoes

Deze getuige verwijst in de loop van zijn uiteenzetting naar de Amerikaanse minister van financiën H. Morgenthau, die in een in september 1944 door hem opgesteld plan 'ter verhindering van de ontketening door Duitsland van de Derde Wereldoorlog' bepleitte dat de geallieerde politiek in het te bezetten Duitsland hard moest zijn en moest resulteren in de vernietiging van de industriële basis van dit land. Duitsland moest volgens Morgenthau een land zijn van akkers en weiden. In dit geheime plan werd niet gerept van sterilisatie van Duitse mannen.

Ik wil de jodenkwestie daar graag even buiten houden. Want die was ons voor de oorlog, voor Nederland althans, niet bewust. Mussert heeft diverse malen verklaard, zelf: 'We hebben geen jodenprobleem.'

WB: Toch zijn er...
En er waren ook een heleboel, er waren zelfs, er waren toch een aantal lid van de NSB, en zijn er toch nog heel lang in gebleven.

WB: Toch waren er voor de oorlog al in NSB-publikaties duidelijk antisemitische tekeningen bijvoorbeeld.
Ja. Ja, wij zijn door de gebeurtenissen in Duitsland en ook door de reactie hierop van de Nederlandse joden tegenover ons, zijn we zonder meer een antisemitische kant op gedreven. Hoewel het officieel nooit zo heeft plaatsgehad. Maar dat zijn we zonder meer, en dan kom ik weer in die oorlogstijd, als het gaat over het overleven en over het niet overleven, dat gold dan ook, niet alleen voor Mussert persoonlijk, maar ook voor zijn idee... Dan komt het radicalisme er pas definitief in. Hoewel ik niet geloof dat in de oorlog iedere NSB'er a priori anti-joods was. Pertinent niet. En ik geloof dat een heleboel NSB'ers zich te weinig gerealiseerd hebben eigenlijk, wat er met de joden gebeurde.

Om dat toe te lichten mag ik u nog even wat zeggen. Ik bedoel, we komen nu weer over de joden, het is onvermijdelijk over deze oorlog te praten zonder dat. Maar wat wist ik voor de oorlog als protestantse jongen uit de zogenaamde gegoede stand – laten we dat er maar even bij zeggen, we hadden een standenmaatschappij –, wat wist ik van anderen, ik had nog nooit een katholiek gezien, laat staan dat ik ooit in de katholieke kerk binnen was geweest. Joden, ik wist wel dat er joden waren, sinaasappeljoden of wat voor joden, ik wist wel dat bepaalde banken, of [het Amsterdamse warenhuis] De Bijenkorf, dat die onder joods beheer waren. Maar ik kende geen joden, ik wist niets van joden, we hadden er geen omgang mee. En ik geloof dat dat voor katholieken ook gold, het waren groepen. Ik behoorde tot één groep. En eigenlijk het interessante van het nationaal-socialisme, was eigenlijk, we wilden die groepen vernietigen. We wilden een volksgemeenschap hebben, dat is eigenlijk het belangrijkste dat me aangesproken heeft, ook als nationalist, als Nederlander.

WB: *Na de oorlog is ons een hoop duidelijk geworden wat we in de oorlog niet helemaal wisten. Ik wou een paar van die dingen met u nagaan. Ten eerste natuurlijk de jodenvernietiging, een schandelijk hoofdstuk in de geschiedenis van de mensheid. Dat heeft u achteraf ook gehoord dus, en toen?*
Achteraf dus, eigenlijk na mijn bevrijding in Holland, of na de oorlog. Aanvankelijk natuurlijk het idee hebbende dat de verschrikkelijkheden die met de joden zijn gebeurd, dat die eenzijdig werden overdreven. Maar natuurlijk heb ik wel gauw in de gaten gehad: de werkelijkheid. Dat heb ik een afschuwelijk feit gevonden zoals natuurlijk iedereen, waarschijnlijk Mussert ook. Daar wil ik helemaal niks over proberen te vergoelijken, ik probeer ook niet een verhaal te vertellen waarom het antisemitisme is ontstaan. Ik wil de tegenstelling tussen joden en fascisten ook niet extra naar voren halen, want dat zou nooit een excuus kunnen zijn voor wat er gebeurd is. En dat erken ik volmondig.

WB: *Maar voelt u zich dan, of misschien niet, medeverantwoordelijk voor wat er gebeurd is aan misdrijven tegen de menselijkheid?*
Nee. Nee, ik heb dat ten eerste gezien als een uitwas van deze totale oorlog, waarin het ging om zijn of niet zijn. Ik heb in die oorlog dus gelezen dat meneer Morgenthau in New York zei dat ze na de oorlog de joden moesten steriliseren... eh, de Duitsers moesten steriliseren. Misschien dat dat soort dingen, die natuurlijk wel aan ons bekend waren, mijn ogen blind hebben gemaakt voor wat er werkelijk gebeurde. Maar ik moet u eerlijk zeggen, en dat gelooft geen hond: 'Wir haben es nicht gewusst' is een feit. Misschien een dom feit, maar het is een feit.

WB: *Ja, maar u heeft meegemaakt de jodenster, en het feit dat ze natuurlijk weggevoerd waren.*
Oh ja, zonder meer. Zonder meer heb ik meegemaakt de jodenster, en dat ze weggevoerd waren en wat, maar wat er met ze gebeurde... Misschien wensten we er niet over te denken. Maar het idee van moord, dus vergassen, of fusilleren en in een kuil stoppen, zoals gebeurd is, daar heb ik absoluut, dat heb ik na de oorlog moeten ervaren dat dergelijke dingen gebeurd zijn.

Driessen

WB: *Was er toen [voor de oorlog] dus al latent antisemitisme in de NSB?*
Ja. Het was zo dat op straat waren dus mensen die als joden werden aangeduid, die maakten wel eens moeilijkheden bij colportage ook, maar ook bij het verspreiden van pamfletten. Maar bovendien waren er veel publicisten, ik denk

aan Henri Polak, aan [A.B.] Kleerekoper, Meyer Sluyser en nog verschillende anderen die heel fel tegen de NSB opponeerden in *Het Volk*, in *Vrijheid, Arbeid, Brood* en in andere organen, *De Blaasbalg* later nog. En daardoor kwam er in bepaalde steden, vooral bijvoorbeeld in Amsterdam, waar nogal veel mensen van joodse origine woonden, kwam dat wel eens tot moeilijkheden.

WB: Maar Meyer Sluyser en de zijnen waren tegen de NSB omdat men in Duitsland al veel openlijker antisemitisch was.
Ja, u zegt nou: veel openlijker, de NSB was van origine niet antisemitisch. Er is een heel merkwaardig verschijnsel, dat, waarschijnlijk is die groet 'Hou-Zee' die de NSB gebruikte, die is van joden afkomstig. In de begintijd van de NSB, ongeveer in '32, toen werden bijeenkomsten gehouden voor allerlei soorten mensen. Aanvankelijk waren het beroepsgroepen, maar ze gingen toen ook bijeenkomsten houden voor jongeren en ook is er eens een bijeenkomst voor joden geweest. En in die begintijd van de NSB dan werd gegroet met 'Heil Mussert' of 'Heil'. En de leiding die vond dat vervelend en die wilde daar verandering in brengen. En die mensen die zich voor de NSB, joodse mensen die zich daarvoor interesseerden, die vonden dat ook niet prettig. En toen hebben ze de groet 'Hou-Zee' uitgevonden en die heeft ingang gevonden in de NSB dan.

WB: Had u enig idee wat er met de joden gebeurde? U wist dat ze weg werden gehaald.
Ik dacht dat ze naar het oosten gingen om daar in eigen plaatsen te werken.

WB: Wat dacht u toen u na de oorlog die publikaties tegenkwam met die foto's en filmfragmenten waar we niet onderuit konden?
Door mijn ervaringen in Graz waarover ik zojuist gesproken heb, als ik dat niet had meegemaakt, dan had ik aangenomen dat het allemaal gelogen was. Dat er totaal niets van zou zijn waar geweest, dat het gewoon vijandelijke propaganda zou zijn geweest. Nu ik zelf daarbij was geweest moest ik aannemen dat dat andere ook mogelijk zou zijn geweest.

WB: En dat is gebeurd uit naam van een beweging waar u in geloofde.
Ja, dat is waar. Uit naam, maar ik denk toch dat er maar betrekkelijk weinig mensen actief bij betrokken zijn geweest. Ik geloof ook dat een groot deel van het Duitse volk daar niets van geweten heeft, evenmin als het gros van de NSB'ers dat geweten heeft. Naderhand hoor je dan dat Van Genechten ooit eens tegen Mussert heeft gezegd in '42 of '43: 'Weet je wat daar plaats vindt?' maar dat het voor die mensen ook iets heel erg vreemds was. En natuurlijk, normaal gesproken is het ook onvoorstelbaar wat de ene mens de andere aandoet – heeft aangedaan.

Van der Veen

WB: Maar op een gegeven moment zijn de Duitsers heel wreed aan de gang gegaan.
Ja, in welk opzicht meent u dat, wreedheden?

WB: Nou, wat dacht u van kampen met honderdduizenden mensen erin die dood gaan?
Dat was in Duitsland ja. Nou, daar wisten we eigenlijk weinig van.

WB: Nee?
Nee, daar wisten we weinig van.

WB: Had u geen idee dat er toch iets niet helemaal in orde was, of niet?
Nou, ik heb er wel eens aan gedacht, maar ik heb in de eerste plaats gedacht dat het een Duits probleem was en geen Nederlands probleem.

WB: Dan hebben we de kwestie van de joden. Wist u dat in de oorlog? Ze werden weggehaald.
Jawel, weggehaald. Ze werden weggehaald. Ze sagten ze gingen dan naar Westerbork en dan naar Duitsland. Waar ze daar bleven in Warschau, dat was een getto, daar zouden ze heen gaan. Verder heb ik me daar ook niet zoveel zorgen over gemacht.

WB: Kende u voor de oorlog al joden?
Ja, één. Een joodse familie dan. Die was slachter bij ons in het dorp. Het waren hele beste joden, hele goede familie, ook gezien eigenlijk wel in het hele dorp. Het heeft mij ook werkelijk zeer leed gedaan dat die weg moesten. Maar de gemeentepolitie, ik heb ze niet opgehaald, maar de gemeentepolitie heeft ze opgehaald.

WB: Naderhand is gebleken dat die joden meestal vermoord zijn.
Ja, de meesten ja.

WB: Ik kan me voorstellen dat u daarvan toch wel geschrokken bent?
Ja, zeker. So was had ik niet gedacht. Dat zo wat in de twintigste eeuw passeren kan dat mensen einfach zo maar reihenweise doodgeschoten worden oder vergast worden. Nee, dat had ik nie gedacht.

WB: Maar vindt u niet dat dat een enorme smet werpt op uw ideaal van vroeger?
Ja zeker, maar ik moet trotzdem zeggen, ik voel me niet verantwoordelijk voor de jodenvervolging van Duitsland, die de Duitsers gemacht hebben.

WB: Ja, maar de NSB had toch Duitsland als voorbeeld?
Ja, maar niet wat de jodenvervolging betreft. Mussert schreef ook indertijd in

Volk en Vaderland: 'De jodenvervolging dat is niet onze zaak, dat is een Duitse zaak.' En zo heb ik dat ook gezien.

Van de Berg

Nou, toen waren er ook joden en joden verboden... En hier komt iets waar ik spijt van heb, wat ik nu gaan doen en wat ik heb gedaan vind ik heel erg jammer, omdat ik nu weet wat er met de joden gebeurd is, wist ik toen niet in 1941. Toen wist ook niemand het... En toen waren er ook een paar joden, die kwam ik per ongeluk tegen, met een jodenster. Nou en ik wilde echt... We zijn er, dus ik zei tegen die joodse mensen, die schrokken dat ze me zagen. En ik stap netjes van mijn fiets af en ik zeg tegen die mensen, ik heb ze verteld dat ze zich bij de politie maar moesten melden en dan hoorden ze wel of ze weg moesten of konden blijven. Nou ja, de politie heeft ze afgevoerd, weg laten gaan. En daar heb ik spijt van, echt spijt. Omdat je nu weet, omdat je beseft dat ik op dat moment ze angst bezorgd heb en dat besefte ik toen nog niet.

WB: Ja, misschien de dood in.

Dat is misschien mogelijk. Misschien, ik weet het niet of ze het overleefd hebben of niet. Maar als zij, nou ja, de dood niet, want zij moesten terug naar Amsterdam. Toen was, dat soort transport bestond toen nog niet. Toen moesten ze alleen terug naar Amsterdam. Dus toen wist je nog helemaal verder niks. Trouwens, ik heb het ook pas echt... Het echte heb ik ook pas na de oorlog leren kennen en niet in de oorlog.

WB: En wat dacht u toen?

Nou, laat ik dit weergeven, toen ik het – en ik heb het het beste leren beseffen op de tegeltjes in Vught – toen is me eigenlijk... En toen had ik dus al Nieuwersluis, Amersfoort, Millingen, Hondsbroek, het laatste kamp dus, en op die tegeltjes, ik weet het heel goed, daar tussen die barakken toen voelde je zo echt machteloos, je bent rechteloos. En toen kwam echt het jodenleed op mij af. En daarom heb ik maar voor één persoon een hele bewondering, en als het aan mij lag dan werd daar een standbeeldje van puur goud voor gemaakt. En dat is een meisje in Westerbork.

WB: En wat was dat?

Dat meisje mocht blijven maar koos om met haar broertjes en zusjes mee te gaan. En voor dat meisje, nou ja... En ik heb het gehoord op de film van Westerbork. Maar ik vind het nergens. Ja, Anne Frank, natuurlijk triest, maar die had geen keus. Maar dit meisje had een keus.

Eem WA-man maakt zijn standpunt duidelijk.

Koe als antidemocratisch en antisemitisch propagandamiddel.

De deur van de joodse begraafplaats te Den Haag.

7
Isolement

De Duitse inval en de opstelling van de NSB onmiddellijk na de capitulatie brandmerkten NSB'ers in de ogen van de meerderheid van de geschokte bevolking definitief tot landverraders. Dat werd wel door de NSB onderkend maar de nieuwe situatie leek toch weer hoop te geven. Het ledental steeg plotseling aanzienlijk, naar men mag aannemen vooral door de toeloop van opportunisten. Veel van deze nieuwe leden waren vóór de oorlog al lid geweest, maar hadden bedankt.

Tegenover de ledenwinst stond dat wat de NSB aan verdere wervingskracht dacht te bezitten door de WA werd kapotgeranseld. 'We werden vóór 10 mei gehaat als de pest, nu worden we gehaat als ik weet niet wat,' schreef een NSB'er in 1940, die voor deze nieuwe intensiteit van haat kennelijk geen treffende woorden meer tot zijn beschikking had. De Jong zegt dat althans in de eerste jaren van de oorlog NSB'ers méér gehaat werden dan de Duitsers. De NSB identificeerde zich met de Duitser en aapte hem na. Zij doorbrak de nationale solidariteit. Zij was een gevaar en werd als zodanig beschouwd. Menige Nederlander had tevoren niet gedacht dat hij landgenoten zo intens kon haten als hij de NSB'ers deed.

Nog meer dan voor de oorlog werden de NSB'ers, als ook de leden van de Germaansche SS en de vrijwilligers in de Waffen-SS, sociaal in de ban gedaan. Nog dieper was de kloof geworden. Vaak genoeg liep deze dwars door families heen, zoals in het geval van een van de hier optredende getuigen. Dat gold bijvoorbeeld ook voor de Waffen-SS-vrijwilliger, die zijn verlofdagen in Nederland in een hotel doorbracht. Familie, verloofde en kennissen wilden niets meet met hem te maken hebben. Het gold voor 'een groot aantal kameraden', zoals het wervingsbureau van de Waffen-SS constateerde.

In tegenstelling tot voor de oorlog kon de NSB nu op de Duitse bajonetten steunen en werd zij ten slotte zelfs de enige toegelaten partij, maar van enige verbetering in haar verhouding tot de 'buitenwereld' was geen sprake. De NSB kon zich nu openlijk manifesteren, maar zelfs nu durfden veel NSB'ers niet voor hun gezindheid uit komen. Velen waagden het niet NSB-vlaggen uit te hangen, zich met het NSB-speldje te tooien of propaganda te bedrijven 'uit angst voor terreur', zoals een NSB-kringinspecteur schreef – 'terreur' van de zijde van de bevolking wel te verstaan. 'Zowel groepsleider als leden zijn doodsbang.' Seyss-

Inquart sprak over de 'kolossale psychologische druk' die op alle NSB'ers werd uitgeoefend.

Dit alles gold niet alleen voor de privé-sfeer. De boycot van de NSB door allerlei maatschappelijke organisaties hield niet op met de Duitse inval. Wel werd het aantal van die organisaties door de bezetter drastisch beperkt en werden de risico's voor de leden en functionarissen van de resterende organisaties evident groter. Sommige instellingen op sociaal, cultureel, economisch en religieus gebied voegden zich nauwelijks, andere veel meer naar de wensen van de bezetter. Maar het is opvallend dat ook waar de gewilligheid ten opzichte van de Duitsers groot was, de NSB daar maar weinig van profiteerde.

Typerend voor de sfeer is het verhaal van een andere getuige, die bij de begrafenis van zijn moeder de (rooms-katholieke) kerk werd uitgezet. Het verhaal is warrig maar in de kern zeer plausibel. Al voor de oorlog had het episcopaat in een herderlijke brief van mei 1936 bepaald, dat degenen die aan de NSB 'in belangrijke mate steun verlenen, niet tot de Heilige Sacramenten kunnen worden toegelaten'. Een gewoon lidmaatschap van de NSB zou dus op zichzelf nog geen beletsel hoeven te zijn, maar in januari 1941 deden de bisschoppen weten dat 'het enkele lidmaatschap gewoonlijk reeds in hoge mate ongeoorloofd' was. In een niet-publieke instructie aan de geestelijkheid werd wél gezegd dat de sacramenten onthouden dienden te worden aan leden van de NSB en de SS. Op zichzelf vormde deze instructie geen basis voor wat onze getuige in zijn kerk overkwam, maar zij bepaalden wel mede het klimaat waarin dergelijke incidenten – er zijn er stellig vele van deze aard geweest – konden ontstaan.

Elke dag voelden NSB'ers op hun werk en op straat, en voelden hun kinderen op school, wat zij waren: een gehate minderheid. Deze minderheid leken de Duitsers aan het bewind te willen brengen, toen Seyss-Inquart eind 1942 meedeelde dat de Duitsers, Hitler voorop, in Mussert 'de Leider van het Nederlandse volk' zagen. Was dit een voorbode van een regering-Mussert, die middels de algemene dienstplicht een hele generatie jonge Nederlanders naar het bloedige oostfront zou sturen? Begin 1943 werd duidelijk hoe een dergelijke ontwikkeling zou worden opgevat. Voor het eerst werden op vooraanstaande NSB'ers moordaanslagen gepleegd, later ook op minder vooraanstaande. De NSB'er was nu zijn leven niet meer zeker.

De stakingen van eind april, begin mei 1943 luidden de directe confrontatie tussen bezetter en bevolking in. Juist hierdoor kwam de NSB tot de vertwijfeling, die doorklonk in Musserts 'anti-Duitse' rede van juni 1943. Maar er was, gezien de reacties van de bevolking, geen weg terug. De NSB'er besefte dat hij op leven en dood met de Duitse zaak verbonden was. Zo kon de NSB radicaliseren en de SS veld winnen binnen Musserts partij.

Onder de indruk van haar hopeloze positie en het toenemend verzet van haar tegenstanders begon de NSB in de herfst van 1943 om wapens te roepen. Dat zou uitlopen op de vorming van de Landwacht, die wij in de inleiding bij hoofdstuk 8 zullen bespreken. De Drentse boer Van der Veen laat zichzelf al bij de Meistaking als Landwachter laat optreden. Zijn geheugen laat hem daarbij in de steek; de Landwacht werd pas een jaar later opgericht. Maar de vergissing is begrijpelijk. Wat er in het voorjaar van 1943 gebeurde, was het begin van een spiraal van geweld en radicalisering.

GETUIGENISSEN

Van de Berg

Oh ja, dat was weer in '41, toen had ik me gemeld voor de Nachrichten-troepen en toen zou ik naar het front toegaan. Mijn zuster had me weggebracht naar het station, en ik naar Utrecht, en in de [Hojel? Kromhout?]-kazerne moest ik me melden. En we zouden bijvoorbeeld vandaag vertrekken, maar het vertrek was een dag uitgesteld, dus ik ging nog gezellig Utrecht in, om te kijken. En ineens een heleboel herrie, en er komt een commandant: 'Jongens, ze hebben een kameraad van ons neergestoken in wijk C.' Hij zei: 'Kom op, d'r heen.' Nou ja, in een wip van tijd, wij erheen.

WB: In uniform.

In uniform. Nou, toen is het tot knokken gekomen. Hoe weet ik niet meer precies, maar ik weet wel dat ik na drie dagen ben bijgekomen en toen zag ik een soort olifantstand en achteraf bleek het een zwaai van een ouderwetse wasstamper, een driepoot geweest te zijn, die me een slag op mijn hoofd gegeven heeft en toen was ik eigenlijk voor de hele oorlog uitgeschakeld. Toen had ik een schedelbreuk, een schedelbasis, nou ja, ik had van alles.

WB: Dus u kon niet naar het front meer.

Nee, het was meteen echt, ik kon amper lopen, want ik kon mijn hoofd niet omdraaien. Ja, ik kon mijn hoofd wel omdraaien, maar dan moest ik heel voorzichtig doen, want anders was ik mijn evenwicht kwijt.

WB: Maar u bleef in Nederland, dus...

Ja, in uniform, dat weet ik nog, toen kwam ik van de begraafplaats, want ik heb... In '41 had ik mijn moeder willen begraven, maar ik ben de kerk uitgetrapt. Omdat ik NSB'er was.

WB: Omdat u in uniform liep.

Ik was... Nee, de koster vroeg ik het, want ik had foto's gemaakt voor mijn zuster in Lier en ik had foto's voor mijn broer gemaakt in Duitsland. En nou, ik zit achter in de kerk, 's morgens vroeg, bij de eerste mis al, en ik zit naast het...

WB: In uniform was u.

Ik had het uniform aan, ik was toen bij de Wach- und Schutzdienst en ik had het jasje aan van de Wach[- und Schutzdienst]; ik had een pistool achter op mijn bil zitten.

WB: Maar vind u dat een dracht om in de kerk te verschijnen?
Nee, dat heb je nog nooit beleefd, dus dat weet je... Achteraf heb ik gehoord dat je zonder wapens in de kerk, maar dat wist ik toen niet.

WB: Maar u werd weggestuurd door de koster.
En toen kwam de koster naar me toe: 'Meneer Van de Berg, wilt u de kerk verlaten, want anders gaat de uitvaart van uw moeder niet door.' Ik zeg: 'Waarom?' 'Ja, u bent NSB'er,' zei hij tegen mij. [...] Nou, toen ben ik de kerk uitgegaan. En ik was nog nooit, want mijn moeder had de schrik altijd van een café, omdat ze IJmuiden kende natuurlijk ook, dus we kwamen nooit in cafés dus. En het wonderbaarlijke... ik ben zo naar een café gelopen en ik heb twee borrels gedronken en ik ben weggegaan. Terwijl ik een pistool achter me op had. Naderhand heb ik spijt gehad dat ik hem niet met het pistool het altaar heb opgejaagd. Want als er een van z'n moeder geleefd heb, dan ben ik het geweest.

WB: Ja, maar u wilde dus onrecht met ander onrecht vergelden.
Maar ik heb het niet gedaan. Op dat moment, ik was kapot, ik was verslagen. Ik was volmaakt verslagen. En het erge is dat deze pastoor, heeft ons in IJmuiden geleerd: 'Je vader en je moeder zul je eren.' En nu wilde ik de laatste eer aan mijn moeder brengen, maar ik krijg geen kans. En nu had hij zo prachtig de gelegenheid, die pastoor, 'Meneer Van de Berg...' maar me toe kunnen spreken om een verdwaald schaap terug te winnen. Nee, in plaats van te proberen een verdwaald schaap terug te halen, nee, een trap.

Kardoes

WB: Kunt u zich met alles wat u natuurlijk, achteraf heeft gehoord, als vele anderen, voorstellen de afkeer die veel Nederlanders hadden van de NSB?
Ja, dat kan ik me zeker voorstellen in de oorlog... Dat kan ik me zeker voorstellen in de oorlog. Dan moet ik u zeggen dat ik vanaf 1941, februari, nooit meer in Nederland gewoond heb. Maar wel, ik ben hier in Nederland wel geweest. Ik ben ook in Nederland getrouwd, in december '42, om maar eens wat te zeggen, in het gemeentehuis van Naarden, waar achter de ambtenaar van de burgerlijke stand een portret van Mussert hing. Dat staat nog op mijn trouwfoto's.

WB: Maar dat hing er al.
Ja, dat hing er al, dat hebben ze niet voor mij daar gehangen...

WB: Was het een NSB-huwelijk met kameraden?
Nee, welnee. Mijn familie was voor een groot gedeelte zelfs helemaal niet gekomen. Omdat ze anti waren wat ik... Bij mijn familie, daar liep een lijn dwars doorheen, zoals bij alle families.

WB: In de oorlog.
Ja, in de oorlog en voor de oorlog en na de oorlog, en nu nog...

Van der Veen

WB: Het gaat erom, direct na de meidagen '40 had Duitsland het vrije Nederland onderworpen. U was opgelucht, maar de grote bevolking was helemaal niet opgelucht.
O!! Ze waren veel meer opgelucht als u denkt. Die waren eerst maal allen blij dat de oorlog voor Nederland voorbij was. Want die tegenstand die was in Nederland waarachtig niet zo zoals men dat nadien graag voorkomen laat.

WB: Maar laten we zeggen, de bevolking was niet erg blij met de Duitsers, dat kan je niet zeggen.
Nou, ze waren ook, vooral als ze eraan verdienen konden, dan wouden ze allen graag wat doen.

WB: Ja, sommigen.
Niet zomaar sommigen, maar ik zou haast zeggen ongeveer vijfenzeventig procent. Die werkelijk actief waren, die waren opgehitst door de Nederlandse regering. Die hebben dan misschien wat gedaan.

WB: De toestand werd wel steeds slechter, in Nederland?
Ja, welke toestand?

WB: Nou, bijvoorbeeld minder eten.
Ach, alles kwam op bonnen natuurlijk. Maar op het platteland was dat niet zo erg.

WB: En je kreeg steeds meer aanplakbiljetten, daar stond op dat mensen waren gefusilleerd.
Ja die mensen, zo bijvoorbeeld met de Meistaking van melk. Maar die zijn opgehitst. Daar hebben wij als Landwachters, zijn wij langs alle boeren langs geweest: 'Lever melk! Want de Duitsers die schieten. Die hebben het standrecht afgekondigd en die schieten elk dood die de melk niet levert.'

WB: Maar kunt u zich niet voorstellen dat er toch mensen tegen waren, tegenstand?
Jazeker. Jazeker kan ik me dat voorstellen.

WB: Ja, maar u zegt opgehitst. Die waren helemaal niet opgehitst, die waren tegen.
Ja, dat kwam door de geheime zender, door de Oranjezender, van Engeland. Ik heb die zelf wel gehoord, hoe of die opgehitst waren.

WB: Maar u werd toch door Hitler opgehitst?
Ja, maar ik voelde me niet opgehitst.

WB: Maar die mensen voelden zich ook niet opgehitst.
Nee, waarschijnlijk niet, maar ze waren wel opgehitst.

WB: Maar u was ook opgehitst.
Ja, en ik heb me ja niet tegen de wettige regering verzet. De Nederlandse regering, die vluchtte naar Londen, en op dat moment waren ze voor mij geen regering meer.

Op de elfde verjaardag van de NSB, december 1942, onderstreept Rijkscommissaris Seyss-Inquart de Leidersrol van Mussert.

Mussert en Rauter luisteren naar de Voorman van de Germaansche ss Henk Feldmeijer.

De begrafenis van de 'Gemachtigde van den Leider' Generaal Seyffardt, die op 5 februari 1943 door het verzet werd geliquideerd.

Propagandistische brochures.

8
Radicalisering

In 1943 kwam de oorlog in een nieuwe fase. Voor de Duitse bezetting en voor de NSB gold dat ook. Stalingrad betekende de grote ommekeer in de oorlog en sindsdien werden de Duitsers in het defensief gedreven. De Beweging zat vastgeklonken aan de Duitsers, hun nederlaag zou het einde van de NSB en, zo werd gevreesd, ook het fysieke einde van vele leden van de partij betekenen. Uit die situatie haalde de SS politieke winst.

Himmler had bewust naar de radicalisering van de NSB toegewerkt door in het gesprek dat hij medio 1943 met Mussert voerde, te eisen dat de Voorman van de Germaansche SS Feldmeijer vormingsleider van de NSB zou worden. Maar op dit terrein behaalde Mussert een van zijn kleine – en weinige – overwinningen op de SS. Hij wist zo te manoeuvreren, dat niet Feldmeijer, maar diens ondergeschikte, de vormingsleider van de Germaansche SS, J.C. Nachenius, vormingsleider van de gehele NSB zou worden. Diens secretaris in die nieuwe functie werd onze getuige Driessen, die, zoals hij zelf ook zegt, steeds meer voor de SS-gedachte te vinden was. Mussert omringde het tweetal evenwel met een Vormingsraad waarin verder louter trouwe Mussert-aanhangers zaten.

Himmlers opzet was in eerste instantie mislukt, maar vanaf de tweede helft van 1943 won de SS-idee van een groot-Germaans Rijk toch velen in de NSB. Al schrok men vaak terug voor een volledig lidmaatschap, het toenemend aantal donateurs van de Germaansche SS was voor Mussert verontrustend.

De meerderheid van de Nederlandse bevolking zag deze ideologische en andere verschillen tussen NSB en SS nauwelijks en wenste die ook niet te zien. In de loop van 1943 was dat ook de meeste NSB'ers duidelijk geworden. Belangrijker dan de interne radicalisering is daarom de verharding van de houding van de gemiddelde NSB'er tegenover de vijandige buitenwereld. De moordaanslagen op leidende NSB-figuren en soms op 'gewone' NSB'ers waren hiervan niet de oorzaak. De liquidaties waren veeleer de duidelijkste tekenen van de grimmige polarisatie tussen bezetter en NSB enerzijds en de bevolking anderzijds.

De oorlogvoering kreeg prioriteit. De Duitse dwang, vooral waar het de Arbeitseinsatz in Duitsland betrof, werd heviger en het verzet ertegen massaler. Het resultaat was een escalatie van verzet en repressie, uitlopend op de openlijke terreur, de massale deportaties van mannelijke Nederlanders en het brede verzet van het laatste halve jaar van de oorlog.

In dit stadium hadden de Duitsers weinig behoefte meer aan de NSB als politieke voorhoede, maar des te meer aan de leden als hulpkrachten op elk terrein: als oorlogsvrijwilligers, opzichters, informanten, hulpagenten of administratief personeel. Hoewel de bezetter zelfs nu nog de voorkeur gaf aan bruikbare elementen buiten de NSB, werd de partij niettemin het voornaamste Nederlandse reservoir voor de Duitse oorlogsinspanning. Daarbij werd de NSB'er in de eerste plaats nuttig geacht als wapendrager: in allerlei semi-militaire of militaire organisaties, maar vooral in de Waffen-SS.

Toen de Waffen-SS in de zomer van 1940 Nederlanders ging werven, hadden de Duitsers niet de minste behoefte aan duizend of tweeduizend Nederlanders onder hun wapenen. Bovendien achtten zij toen de oorlog al gewonnen en had de werving een politiek oogmerk. Dat werd nu anders. De wervingsbureaus van de Waffen-SS ronselden met meer ijver dan ooit in heel oost-Europa onder de miljoenen mensen van etnisch-Duitse afkomst, de zogenaamde Volksduitsers. Verder werd de werving geïntensiveerd in de als 'Germaans' beschouwde bezette landen: Denemarken, Noorwegen, Nederland en België. (Grootmoedig werd nu ook het Franssprekende Wallonië meegerekend, hetgeen de SS nog meer vrijwilligers opleverde, onder wie de Belgische fascist Léon Degrelle.)

De 'Germaanse' landen leverden in vergelijk met het Volksduitse reservoir in oost-Europa – waar men al snel tot dwang overging – niet veel op, maar de SS-leiding stond thans op het standpunt dat elke man er één was. Het hoofd van de SS-wervingsbureaus had al eens opgemerkt: 'Voor iedere vreemdeling, die in onze rijen sneuvelt, hoeft geen Duitse moeder tranen te laten.' Ook nu nog beperkte de Waffen-SS zich allerminst tot het aanwerven van leden van NSB of Germaansche SS. Menig zestienjarige jongen zonder enig politiek benul werd tot dienstneming verleid. Indien mogelijk ronselde de Waffen-SS in tuchtscholen en gevangenissen of onder de tot de Arbeitseinsatz verplichte jongeren, met beloften van betere kleding en beter voedsel. De aangeworvenen werden meestal naar Graz in Oostenrijk getransporteerd en van massaal terugsturen wegens onbruikbaarheid, zoals in 1940 en 1941, was geen sprake meer. Bijna iedereen gold als bruikbaar voor dienst aan het oostfront.

Mussert werd meer dan ooit door de Duitsers onder druk gezet om zoveel mogelijk weerbare mannen voor de Waffen-SS te leveren en zette zijn volgelingen meer dan ooit onder morele druk. Zeer veel NSB'ers meenden zich in dit stadium van de oorlog, juist in dit stadium, niet aan de strijd tegen 'de oprukkende bolsjewistische horden' te mogen onttrekken. Nog meer gold dat voor de leden van de Germaansche SS, die bijna geheel in de Waffen-SS opging.

Al sinds 1940 deed een aantal vrijwilligers uit Nederland dienst in het regiment Westland van de SS-divisie Wiking. Nadien kwamen de meeste Nederlandse vrijwilligers terecht in het 'Vrijwilligerslegioen Nederland', dat was opgericht in de zomer van 1941 met medewerking van een voormalige chef-staf van het Nederlandse leger; deze generaal Seyffardt werd in het begin van 1943 door het verzet doodgeschoten. In 1943 werd het legioen omgezet in een SS-brigade

Nederland, die overigens maar voor eenderde werkelijk uit Nederlanders bestond. De overigen waren Duitsers en Volksduitsers uit Roemenië of de Oekraïne. De commandant was een Duitser, evenals het merendeel van het hogere kader. De brigade vocht in 1944 aan het noordelijke deel van het oostfront, voornamelijk bij de rivier de Narwa. Het was daar, zoals een van de hier aan het woord komende getuigen verhaalt, dat het regiment 'Seyffardt' (genoemd naar de geliquideerde generaal) vrijwel geheel vernietigd werd ten gevolge van een fout van de leiding.

Van 1941 af had de Waffen-SS alleen geworven voor de strijd aan het oostfront; het leek niet raadzaam Nederlanders of Noren te gebruiken in de strijd tegen westelijke geallieerden. In het zicht van de geallieerde invasie, die naar de Duitsers vreesden, ondersteund zou worden door volksopstanden, veranderde dit. Op instigatie van de Höhere SS- und Polizeiführer Rauter richtte de SS een regiment op, dat Landstorm Nederland werd genoemd en dat in Nederland zou blijven 'voor den afweer van buitenlandsche of binnenlandsche vijanden'. Ook in deze eenheid was de commandant een Duitser evenals veel officieren en onderofficieren. Anders dan bij de vrijwilligers voor het oostfront het geval was, bestond de meerderheid van de lieden die zich voor de Landstorm aanmeldden, wél uit NSB'ers. Dat wenste Rauter ook uitdrukkelijk. Als het om het Nederlandse, nationale grondgebied ging, waren kennelijk juist de NSB'ers voor de bezetter te vertrouwen.

In september 1944 vocht de Landstorm tegen de geallieerden, in het noorden van België; een deel vocht bij Arnhem. In februari 1945 werden de eenheden gelegerd aan het front in de Betuwe, ongeveer van Zaltbommel tot Heelsum. Via het opleidingsdepot te Hoogeveen werd in het laatste half jaar van de bezetting een groot aantal lieden in de inmiddels tot een SS-brigade uitgedijde Landstorm opgenomen. Dat men hen als 'hongervrijwilligers' aanduidde, zegt voldoende over hun motieven. Het maakte de sfeer in de Landstorm overigens niet minder fanatiek. In Nederland was de Landstorm onbetwistbaar de militaire eenheid aan Duitse kant die het meest tot doorvechten bereid was. Nog op 7 mei 1945 leverde een Landstorm-eenheid een gevecht met een 'bovengronds' gekomen verzetsgroep – ruim een week na de dood van de Führer en twee dagen na de Duitse capitulatie in Nederland.

Die septemberdagen van 1944, toen geallieerde troepen in Nederland doordrongen, vormen een scherpe scheidingslijn in de geschiedenis van de bezetting. Bestond er voordien nog een enigszins geordende samenleving, daarna was er sprake van open terreur, wilde razzia's op alle volwassen mannen, en honger.

Voor de NSB voltrok zich in die dagen de ineenstorting. Op Dolle Dinsdag, 5 september 1944, raakte het bezettingsbestuur in paniek. Geen geallieerde soldaat had de Nederlandse bodem nog betreden, maar geruchten wilden dat 'ze' al in Breda, Dordrecht, Den Haag en Utrecht waren. Zelfs Amsterdam werd genoemd. Hoe verder men weg was, hoe verder de geallieerden in de geruchten waren opgerukt. Het bezettingsbestuur raakte in paniek en de NSB nog meer.

Haastig trachtten de mannen hun vrouwen en kinderen naar Duitsland te evacueren. Men kan zich het leedvermaak voorstellen van de in Westerbork nog aanwezige joden, die plotseling een groot deel van de gehate NSB'ers haveloos en gedeprimeerd het kamp zagen overstromen. De meesten van hen kwamen in geïmproviseerde opvangplaatsen en kampen in noord-Duitsland terecht. De bevolking ontving hen met weinig enthousiasme; de SS probeerde, niet zonder enig succes, de jongens van vijftien jaar en ouder voor de Waffen-SS te ronselen. Daarbij probeerde de SS de Jeugdstorm, of wat daarvan over was in Nederland en in de Duitse vluchtelingenkampen, in te palmen. Tekenend voor de radicalisering in die dagen is een pamflet – hoofdzakelijk geschreven door onze getuige Driessen – waarin Mussert scherp werd aangevallen door kaderleden van de Jeugdstorm.

Het meest typerend voor de radicalisering en de toenemende transformatie van de mannelijke NSB'er van politiek strijder naar wapendrager, is wellicht het ontstaan en de ontwikkeling van de Landwacht. De aanslagen op NSB'ers, de overvallen op distributiekantoren en het sterk toenemende aantal verzetsdaden in het algemeen deden de bezetter besluiten een soort NSB-politie op te richten. De gewone politie werd meer en meer onbetrouwbaar geacht. Dit was terecht: de weerzin tegen Duitse opdrachten, de lijdelijke sabotage en het onderduiken van politiemannen met medeneming van uniform en vuurwapen, namen hand over hand toe.

De Duitsers wilden een uitsluitend uit leden van de NSB of de Germaansche SS bestaande hulppolitie. Dat werd de Nederlandsche Landwacht, die in maart 1944 in een allegaartje van uniformen en meestal alleen met jachtgeweren bewapend, haar entree maakte. Een kleine kern bestond uit Landwachters die in volledige dienst waren, maar de meerderheid (althans tot september 1944) bestond uit de zogenaamde Hulplandwachters. Zij bepaalden het beeld dat de bevolking van de Landwachter kreeg: de plaatselijke NSB'er, die zich er voor wachtte vrijwilliger aan het oostfront te worden, maar die wel gewichtig, met een verouderd schietwapen en in een raar pakje of met alleen een armband om, de papieren van zijn buurtgenoten wilde controleren.

De Landwacht werd niet de zelfbeschermingsorganisatie die de NSB eigenlijk voor ogen had gestaan, al kon geen enkele niet-NSB'er Landwachter worden en werd de plaatsvervangend leider van de NSB Van Geelkerken inspecteur-generaal. Ook de hogere posten kwamen voor het merendeel in handen van NSB'ers die geen lid of sympathisant van de politieke SS waren. Maar de organisatie stond onder scherp toezicht van de Duitse Ordnungspolizei (de 'Grüne Polizei') en dus van Rauter. De Landwacht moest Duitse militaire objecten, distributiekantoren of politiebureaus bewaken, persoonsbewijzen controleren en de politie assisteren (en zonodig controleren) bij de arrestatie van 'terroristen' en onderduikers. Van begin af aan was de Landwacht een verlengstuk van de bezetter.

De Landwacht maakte zich door willekeurig optreden dadelijk gehaat; de Landwachters waren niet alleen fanatiek, maar de meesten van hen hadden geen enkel benul van politieoptreden. Na september 1944 en al helemaal toen de hongersnood inzette, kwam het van kwaad tot erger. Het 'controleren' van de voedseldistributie betekende in de praktijk dat de Landwachters de bevolking van het weinige, verzamelde voedsel beroofden, om het zelf op te eten. SD en Ordnungspolizei zetten nu de Landwachters zonder meer in bij massale razzia's op onderduikers.

Vooral in het noordoosten van het land oefende de Landwacht in het laatste halve jaar van de oorlog een ware terreur uit. Het meest berucht werd een groep Landwachters in en om het plaatsje Norg in noord-Drente, vermeld door een van onze getuigen. In Duitse opdracht of op eigen initiatief spoorde deze groep onderduikers op. Dat was weliswaar niets bijzonders, maar wat hen van andere groepen onderscheidde, was dat de 'Norger bloedgroep' de gevangenen zwaar martelde, voordat zij aan de SD werden overgeleverd.

De Landwachters raakten berucht als rovers en onverlaten. Dit was niet alleen het oordeel van de geterroriseerde bevolking, maar ook van de Duitsers, de NSB, en vaak genoeg van de leiding van de Landwacht zelf. In een brief aan Mussert schreef de chef-staf van de Landwacht over 'het meer dan schandalige optreden' van zijn Landwachters en het 'lage allooi' van veel van het kader en de manschappen, zodat de Landwacht 'een *ware plaag* voor de bevolking' (cursivering van de chef-staf) betekende.

GETUIGENISSEN

Driessen

De getuige Driessen vertelt hier onder meer, hoe hij (in december 1942) vanwege een tekening van Hitler (overigens zonder enige bijbedoeling geplaatst) in een nummer van het WA-blad *De Zwarte Soldaat* even in de gevangenis te Scheveningen werd opgesloten. Vanwege de gezindheid van de meeste gedetineerden werd die gevangenis in de volksmond als het 'Oranje-hotel' aangeduid.

WB: U bent bij de NSB gegaan vanwege de groot-Nederlandse en de nationalistische gedachte. Bent u dat gebleven?
Ik ben dat gebleven zolang ik het vertrouwen had dat Mussert dat bij Hitler voor elkaar zou kunnen krijgen, dat er een groot-Nederland tot stand zou komen. Maar dat bleek niet mogelijk te zijn.

WB: De SS-stroming was sterker.
Dat was het niet direct. Ik had de indruk dat Mussert niet aanvaardbaar was om leiding aan het Nederlandse volk te geven, door bepaalde dingen die er gebeurd waren. Bovendien was het natuurlijk wel zo: als jongere voelde ik me meer aangetrokken tot de jongeren in de SS, dan de oudere mensen met de nogal eens conservatieve opvatting die je in de NSB-leiding had.

WB: U heeft op een gegeven moment, meneer Driessen, wat ik zou willen noemen, Utrecht verlaten. U heeft een conflict gehad. Kunt u eens uitleggen wat dat is geweest?
Ik kreeg te horen van een vriend, dat Mussert een verhouding had met een achternicht van 'm en toen heb ik contact gezocht met de secretaris-generaal, of ik eens even bij hem kon komen. En met hem heb ik een gesprek gehad dat we op dit ogenblik als Beweging de risee van Nederland zouden worden, met deze verhouding, dat het totaal onmogelijk was. Hij zei me dat hij contact met Mussert erover zou opnemen en dat hij me daarna weer zou benaderen. Ik zeg: 'Nou, dat is helemaal niet nodig. Als u hem dat onder ogen brengt, dat dit een onmogelijke situatie is, dan zal hij zelf wel zo verstandig zijn.' Een week of wat later werd ik opgebeld of ik even bij hem langs wilde komen en toen vertelde hij me: 'De Leider is van mening dat niemand zich met zijn privé-zaken mag bemoeien.' En toen dacht ik: ja, van dat hele groot-Nederland komt op deze manier niets terecht. In de eerste plaats schijnt hij niet in te zien dat het ridicuul is, eerst met een tante die achttien jaar ouder is, getrouwd, en nu dan weer met een achternicht die meer dan twintig jaar jonger is. En ik zat er over te denken om naar iets anders uit te zien.
En toen zocht de vormingsleider van de SS, die werd hoofd van de afdeling theoretische vorming in het hoofdkwartier van de NSB, en die vroeg of ik zijn secretaris zou willen worden en dat heb ik gedaan. Het is maar van korte duur

geweest, want Mussert vond dat toch weer niets, dat iemand van de SS zoveel invloed bij de vorming zou krijgen. Daar had hij met de Rijkscommissaris ook al moeilijkheden over gemaakt en toen werd ik secretaris van de vormingsleider van de SS, in welke hoedanigheid Nachenius ook optrad.

WB: En u heeft toen veel geschreven voor de SS.
Ja, dat had ik eerst ook voor de NSB gedaan in *De Zwarte Soldaat.* Daardoor was ik ook nog opgepakt in de gevangenis voor een tekening in *De Zwarte Soldaat* die niet naar de smaak van de Duitsers goed was uitgevallen, waarvan de SD tegen mij zei dat Hitler opzettelijk als een slager was afgebeeld. En toen kwam ik in het 'Oranje-Hotel' terecht met de tekenaar. Eerst met de hoofdredacteur, maar die had er niks van afgeweten, die kwam dus weer vrij. Er speelde overigens wel een hele andere kwestie mee. We waren nogal steeds in strijd met de voorschriften van de Duitse censuur. We spraken altijd over groot-Nederland, en dat was heel streng verboden. We hadden *De Misthoorn* heel sterk aangevallen op zijn groot-Duitse mentaliteit en zelfs met Nachenius was het tot een conflict gekomen. En de Duitsers wilden nu een voorbeeld stellen, dat je maar niet alles kon schrijven wat je wilde, ook als je NSB'er was. En op die manier werden wij gegrepen.

WB: En toen leerde u kennen hoe Duitsers in die dagen met tegenstanders omgingen.
Ja, maar dat schokte niet mijn vertrouwen. Toen ik weer vrij was en ik wel eens op het Hoofdkwartier vertelde wat ik in die cellenbarakken had meegemaakt, toen zeiden ze: 'Dat jij nog NSB'er blijft,' en dat vond ik heel vreemd. Want ik ging van het standpunt uit dat naderhand de mensen die misdaden deden ook in die gevangenis, dat die wel ter verantwoording zouden worden geroepen. Nu moest alles gemobiliseerd worden om de oorlog te winnen, maar als dat voorbij was dan zou wel een grote schoonmaak gehouden worden, althans, dat was mijn overtuiging toen.

WB: Maar bent u slecht behandeld daar?
Nou, wel eens wat duwen gehad en zo, en een grote mond, maar... Nou, prettig is het in ieder geval niet geweest.

WB: Met welk argument werd u vrijgelaten weer?
Zonder meer, er werd geen reden voor op gegeven.

WB: Alles rechteloos.
Ja, dat wel natuurlijk, achteraf gezien.

WB: U bent toen op den duur meer in SS-vaarwater terecht gekomen.
Ja. Dat kwam natuurlijk door de toestand daar. Ik was door het conflict met Mussert natuurlijk op het idee gekomen dat er voor een zelfstandig Dietsland

[groot-Nederland] weinig ruimte zou zijn, door hem. Dan kwamen de bolsjewieken op. En Stalingrad had plaats gevonden en de Duitsers werden teruggeslagen. Een ander zou zeggen: probeer je snor te drukken en... want het gaat nou gevaarlijk worden. Maar ik ging van het standpunt uit dat we zoveel mogelijk een eenheid moesten vormen om ons teweer te stellen tegen het communisme, tegen de legers van Stalin. En de SS was daartoe de beste gelegenheid om dat te realiseren.

WB: *Maar u kon niet als SS-soldaat...*
Nee, daarvoor ben ik steeds afgekeurd geweest.

WB: *En in welke hoedanigheid zat u dan wel in de SS?*
Als secretaris van de vormingsleider, als medewerker van de uitgeverij 'Storm'. Ik heb nog een boek samengesteld over de Rijksgedachte die dagen. En door uitgaven van de vormingsbladen, door het uitzoeken van boeken die geschikt zouden zijn voor de uitgeverij Storm om uit te geven.

WB: *Dus u was een vurige SS'er.*
Ja. Ik was een fanatiek aanhanger van de SS. Omdat ik dat als enige mogelijkheid zag om het bolsjewisme buiten Europa te houden.

WB: *Maar dat lukte niet erg, want de Duitsers verloren. Had u nooit het idee van: wegwezen?*
Nee hoor, geen ogenblik. Ik zag alleen als enige oplossing de overwinning van het nationaal-socialisme. Er kwam natuurlijk ook wel een soort mystiek bij. De figuur van Hitler, die had in ons denken, althans in mijn denken, maar toch ook wel van vele anderen, een dimensie aangenomen die helemaal los van de werkelijkheid was. Wat de Messias voor de joden was, wat Christus voor de christenen is, dat zagen wij in Hitler voor de Europese en de Germaanse volkeren. Achteraf gezien is dat natuurlijk gebleken onwerkelijk te zijn. Maar als zodanig zagen we dat wel.

De Munck

WB: *U bent op een gegeven moment er toch toe gekomen om die instructie daar te verlaten in Schalkhaar.*
Ja, ik was inmiddels wachtmeester der Marechaussee geworden en ik hoorde bij het stampersoneel. Maar ja, het was inmiddels 1942 geworden en ze hadden natuurlijk ook veel verlies aan het oostfront en zo. Maar je wilde natuurlijk niet dat Europa werd overspoeld door het communisme, door de Russen, door het bolsjewisme beter gezegd. En ja, je meeste kameraden die hadden zich voor het front gemeld en mijn tweelingbroer had zich ook gemeld en die schreef mij een brief: 'Ik lig alweer met mijn snuit in drek, maar jij bent alleen maar goed om

met die rinkelende sporen en die klapperende sabels rond te paraderen in je mooie pakje.'

En toen kwam ik een vriendje tegen, vanuit de Jeugdstorm, en die liep mank, die had een oorlogsverwonding, bij de Waffen-ss. Die was gebleven destijds en die kom ik weer tegen op het Damrak. Ik was op weg naar mijn eenheid, ik was met verlof geweest, ik was in uniform. Ik zeg: 'Ha Hennie, hoe is het ermee.' En hij kijkt me van top tot teen aan en hij zegt: 'Wat doe jij hier nog.' [Maakt opmerking over camera.]

WB: Dus u loopt in Amsterdam.

Dus het is logisch hè, die jongen zegt: 'Wat doe jij hier nog.' En toen zei ik: 'Ja, ik heb me gemeld, maar we moesten er speciaal voor naar Den Haag, want van het stampersoneel mogen ze zich niet melden, want die moeten daar blijven.' En toen ben ik nog naar Den Haag geweest. Ben ik ook nog bij mr. Van Zoelen geweest en daar heb ik om gevraagd: 'Ja, er zijn twee kansen, je kunt winnen of je kunt verliezen. Ja, iedereen gelooft na die eclatante successen dat het niet kan verliezen.' We geloofden allemaal in de overwinning. Ik zeg: 'Maar als het wel gebeurd dan kunnen ze strafrechtelijk niets maken.' Hij zegt: 'Nee, daar heeft u gelijk aan. Maar weet u dat u op de nominatie staat om naar de POS, de politieopleidingsschool in Apeldoorn te gaan?' Toen zei ik: 'Nou, dat kan later dan nog wel.'

WB: Wat zei die jongen die u tegen kwam?

Die bekeek me van top tot teen en die zegt: 'Wat doe jij hier nog.' En dat steekt je natuurlijk, ik had me wel gemeld. Maar je laat toch niet, als je een overtuiging hebt of, laat ik dat grote woord 'ideaal' gebruiken... Je bent van jongs af aan, van de Jeugdstorm, ben je erin opgegroeid en je hebt daar je vriendinnen en je vrienden leren kennen. En die vrienden die zetten zich met hart en ziel in voor het ideaal; zijn bereid hun leven zelfs te offeren en jij blijft dan achter. Veronderstel de Duitsers hadden inderdaad de oorlog gewonnen, dan had ik mijn vrienden en mijn kameraden nooit meer onder ogen durven komen. Maar daarom deed ik het alleen niet, het zat nu eenmaal in je, dat is je plicht, dat hoor je te doen.

WB: We slaan een hele periode over van ziekte, die u ongelukkigerwijze heeft getroffen. Maar op een gegeven moment vinden we u terug als SS... wat was uw rang?

Ik ben naar het front gegaan als soldaat 2e klas.

WB: Welk deel van het front was dat?

Dat was in Estland, de verdedigingsslag aan de Narwa, in de vrijheidsoorlog van Estland tegen Rusland.

WB: Die Russen die waren sterker.

Ja, op dat moment, ik spreek nu van '44, kreeg ik wel de indruk dat ze evenveel kanonnen hadden als wij geweren. Wij hebben daar heel vaak gevochten tegen tien- of twintigvoudige overmacht.

WB: Heeft Hitler dan niet lichtvaardig die aanval gedaan?

Daar kan ik niet over oordelen. Dat staat nu in de krant, hoe dat allemaal gegaan is. Want als hij dat niet had gedaan, veertien dagen daarna hadden de Russen heel Europa overstroomd. Hij is dus uit de verdediging in de aanval gestoten.

WB: Was het een hard leven aan het front?

Ja, wat wilt u. Ik heb dat dus achter elkaar bijna negen maanden meegemaakt. Dat je in zo'n zelfgemaakte bunker leeft en dat je dus in een bomkrater duikt, waar wel water in staat, voor wassen en scheren. En als het 's zomers... naakt om te baden, 's winters ging dat natuurlijk niet.

WB: Maar het was voortdurend terugtrekken hè?

Nee, wij hebben daar dus van januari tot half juli hebben wij al die aanvallen afgeslagen en de pioniers hebben een pantser gemaakt. Nou, het was een bijna onneembare vesting. En de Russen hadden daar, ja wij hadden ook grote verliezen, maar zoveel verliezen gehad, dat een tijdlang hebben ze ons met rust gelaten, alleen met stooraanvallen en dus stoottroepen en patrouilletroepen en zo, over en weer, en stoorvuur. Tot wij zijn afgezet naar de Tannenbergstelling, dat was vijfentwintig kilometer west van Narwa, en daar is een catastrofe gebeurd. Daar zijn fouten gemaakt en er is van ons regiment, bestond uit twee pantsergenadierenregimenten en een artillerieregiment. Er is vrijwel het regiment Seyffardt in zijn geheel in gevangenschap geraakt.

WB: En voornamelijk Nederlanders hè?

Nederlanders en Duitsers en uit Roemenië van Banat en Siebenburgen, de zogenaamde Volksduitsers.

WB: Nog twee vragen daarover: De Russen werden ons afgeschilderd als een soort Untermensch. Maar daar waren het toch dappere soldaten.

Ja, ten dele. Untermenschen heb je in elk volk. Elk volk, dat heb ik u zoëven uiteengezet, heeft a-socialen. Hoe groot dat percentage is dat kan niemand beoordelen, daar is nooit een onderzoek naar ingesteld. Maar over het algemeen waren ze... Kijk die speciale troepen uit Siberië, die waren heel goed geoefend, maar de gewone Russische soldaat... Daar komt nog bij, ze waren tenslotte ook gedwongen. En ik heb het een keer meegemaakt, waren we middenin een aanval en ik had mijn machinekarabijn, dat is dus een voorloper van de Kalashnikoff, die had ik op de dekking neergelegd, en ik trek een handgranaat af en ik tel 21, 22... en er springt een Rus met gevelde bajonet in de loop en ik smijt die granaat voor 'm. Nou, daar lag dat hoopje mensen, en als je nu door een handgranaat getroffen wordt, dan scheurt er veel kleding van je lijf.

En toen zag ik die jongen, van een jaar of zestien, zag ik dat hij allemaal striemen op zijn billen had. Toen stuurde ik mijn ordonnans naar mijn bunker, ik zeg: 'Haal de Sanitäter en haal bij de compagniesgevechtsstand de tolk.' Want elke compagnie die had een tolk, een Wit-Rus of een Oekraïner. Nou, die kwam en die Sanitäter die deed wat hij doen moest; de papieren eruit en het herkenningsplaatje ten dele eruit. Ik zeg: 'Wat heeft hij voor striemen op zijn gat?' Hij zegt: 'Nou, hij was bij een strafafdeling en daar hebben ze nog lijfstraffen.' Hadden ze bij de Roemenen ook hoor. En toen gaf hij mij een foto in de hand en toen zag ik dat jochie van een jaar of twee vroeger, was-ie een jaar of veertien. En daar stond hij met zijn vader en moeder in Leningrad op 't plein. En toen dacht ik: godverdomme, je hebt toch ook een vader en moeder.

WB: Had u respect voor de Rus als tegenstander?

Je hebt... kijk eens... wij spraken, dat zult u niet geloven, over de kameraden van het andere veldpostnummer. Als we gevangenen namen, dan bevend kwamen ze op ons af en dan kwamen ze bij je en dan kregen ze een sigaretje. Want die [politieke] Kommissare hadden verteld: als je door die lui gevangen wordt genomen worden je ogen uitgestoken, je geslachtsdelen afgesneden – wat bepaalde eenheden van hen wel deden. Wij deden dat nooit, maar afgezien daarvan: als je nu die knapen gevangen nam, en de een die had een Stalingradmedaille, een ander een Leningradmedaille... Je haalt het toch niet in je stomme kop om die man te beroven? Nou moet je eens kijken, dat kun je zo op de televisie zien, wat voor een gangsters die Amerikanen zijn en die beroven die krijgsgevangenen, en dat is een oorlogsmisdaad, van alles wat ze hebben.

WB: Heeft u onderscheidingen gehad?

Ja, daar hangen ze.

WB: Welke waren dat?

De twee ijzeren kruisen, 2e en 1e klas en de zogenaamde Nahkampfabzeichen, het zilveren Verwundetenabzeichen en het Sturmabzeichen.

WB: U bent ook verwond geraakt hè, want u heeft een litteken op uw voorhoofd.

Ja, ik ben viermaal gewond geweest. Eenmaal een bajonetsteek in mijn duim, daar kun je nog het litteken zien. En de andere keer een schampschot aan mijn enkel. En de derde keer kreeg ik dertien granaatsplinters in mijn rug. Maar later is gebleken bij een röntgenopame, de veertiende zit er nog in.

WB: Maar als u dus een verwonding aan uw hand heeft van een bajonet, heeft u dus man tegen man gevochten.

Ja, dat heet Nahkampf.

WB: Hoe ging dat?
Dat ging op leven en dood natuurlijk hè. Het was alleen een kwestie van wie was vlugger.

WB: Twee soorten dieren tegen elkaar.
Hoe komt u daarbij! Het is natuurlijk, achteraf gezien, geef ik toe, dat weten wij beter dan wie dan ook, een oorlog is weerzinwekkend. Het is onmenselijk. Er is maar één oorlog geoorloofd, dat is de oorlog ter verdediging van have en goed van jou en de jouwen, en je vaderland.

WB: En nu dat gevecht. Hoe gaat zoiets: er duiken ineens Russen op en...
Ja kijkt, je springt ineens, en je houdt ze niet meer met handgranaten. Want kijk eens, ze kwamen met zulke massa's op ons af, dat is ongelooflijk. Ook ons bataljonsector, ik denk dat ze daar met twee regimenten op af kwamen, op zijn minst. Maar ik heb ook gezien, en dat zullen de mensen natuurlijk niet geloven: ze konden niet terug. Want als ze bleven staan of terug wilden, dan werden ze daar door de machinepistolen van Kommissare in de rug geschoten. Alleen als bleek dat het niet meer te houden was, dan sprongen ze over de lijken terug, voor zover ze het redden, dat ze het toch niet nog getroffen werden, en dan kwamen ze weer in eigen stelling.

WB: De handgranaten konden ze niet meer houden. Wat dan?
Nou, dan springt vroeg of laat springen er een, twee, drie, of vier in je loopgraaf. Je staat daar niet alleen, dan pak je je geweer met je bajonet, of je pakt gewoon een kampschop, dan ga je daar mee op af. En dan is het een kwestie van wie het snelste is en wie het meeste geluk heeft. Maar tegen die mensen als zodanig, daarom is het zo weerzinwekkend, heb je natuurlijk niets, want je hebt die mensen nooit gezien. Maar dat is in alle oorlogen zo.

Van der Veen

WB: Op een gegeven moment bent u lid geworden van de Landstorm.
Van de Landwacht.

WB: Landwacht. Hoe ging dat?
Dat war vrijwillig. Voor mij war das vrijwillig. Eigenlijk als groepsleider die war vrijgesteld van de Landwacht, maar ik was toen nog jong, en dacht: nou, daar zul jij als jonge man je daarvan afhouden, terwijl het van anderen wordt verlangd. En toen heb ik gezegd: dan doe ik daar ook aan mee.

WB: Die Landwacht had een slechte naam hè?
Ja, had hij ook.

WB: Hoe kwam dat?

Ja, die Landwacht, onze taak bestond eigenlijk uit meer in het controleren van persoonsbewijzen, tegenhouden van de zwarte handel, ook wel eens gezocht naar onderduikers.

WB: Dus daar heeft u aan mee gedaan?

Ja, eenmaal.

WB: Heeft u onderduikers uit...

Nee, daar waren in Veenhuizen... Daar hebben we niets gevonden.

WB: U heeft wel gezocht?

Ja.

WB: Zocht u serieus en goed?

Nee, niet alles. Er werd daarheen gezegd, daar moest je dan staan blijven voor eventueel die vluchten of zo. Maar er waren geen vluchtelingen en we hebben überhaupt ook niets gevonden.

WB: Ja maar u was een overtuigd nationaal-socialist. Misschien was u wel fanatiek?

Jazeker, ik was zeer fanatiek.

WB: Maar dan wilde u die onderduikers hebben?

Nee, daar ging het me niet om. Nee, ik bedoel in het verdedigen van mijn principen, daar war ik fanatiek in. Maar in tegenstanders of zo... Ik heb immer eigenlijk elk dat recht toe gekend om een andere mening te hebben, evenzo zouden ze [moesten zij] ook mijn mening respecteren.

WB: Er zijn door de Landwacht wel wreedheden uitgehaald.

Maar niet half zoveel als door...

WB: Nee, ik heb het even niet over na de oorlog.

Ja, oh ja, zeker. Onder andere vooral in Norg, daar was een zogenaamde bloedploeg. Die heeft werkelijk wreedheden uitgehaald, die kan ik ook niet goedkeuren.

WB: Maar wist u...

Ik kan eigenlijk die hele ploeg niet goedkeuren.

WB: Wist u ervan toen?

Ja.

WB: En wat dacht u dan?

Ja, wenn dat zo moet! Ik heb daar ook nog gezegd, we hadden een kwartier in Roden en daar waren we dan samen met een stel jongens: 'Die Landwacht die doet ons de das nog wel om.' En dan werd ik uitgelacht en 'ben jij ook al bang' en zo. En ik zei: 'Dat heeft er niks mee te doen, ik ben ook niet bang.' Maar... en dan van evacués heb ik ook wel gehoord onderweg dat ze zeer slecht door Landwachters aangehouden werden of zo. Dat weet ik ook niet zeker.

Zijlmaker

Ik ben op 15 december 1944, in de tijd dat de gemeente Renkum ontruimd was, ben ik burgemeester geweest in de gemeente Renkum. Dat was een gemeente van ongeveer 30 000 inwoners. Maar toen in die tijd was de zaak ontruimd en had de functie dus eigenlijk als voornaamste doel om te zorgen dat er zo weinig mogelijk plunderingen in de gemeente gebeurden.

WB: En gebeurde dat?

En dat gebeurde dus op vrij grote schaal. Want er was bijvoorbeeld in de Stichting Wolfheze, wat normaal een stichting is voor geestelijk gestoorden, een groot deel van mensen uit Rotterdam ondergebracht en die gingen regelmatig op rooftocht uit in de gemeente. Naar aanleiding daarvan is een politiebrigade door mij aangevraagd bij de secretarie die toen in Apeldoorn gevestigd was bij een zekere heer Wesseling, die gemeentesecretaris daar was, en die heb ik gekregen onder leiding van hoofdagent Koster. En toen hebben we dus op verschillende manieren paal en perk kunnen stellen aan deze plunderingen.

WB: Is dat altijd op correcte wijze gebeurd?

Ja, voor zover ik dat na kan gaan is dat wel gebeurd. Die plunderingen, dat was natuurlijk helemaal niet in de haak.

Driessen

Nou, na Dolle Dinsdag moesten allen die bij de SS betrokken waren die moesten samen komen in het kamp Avegoor en daar kregen we dan een militaire opleiding. En toen vonden de luchtlandingen plaats bij Arnhem en toen werden we met vrachtauto's naar Hoge Veenhoven geplaatst. En daar behoorde ik dan weer tot de afdeling die de vorming verzorgde. Ik zwierf door heel het land heen, op de fiets, met de trein, want ander vervoer was er praktisch niet. Ik kon wel eens met auto's meerijden om papier te krijgen, om mogelijkheden te zien, om vormingsbladen uit te geven. En toen heb ik ook een pamflet geschreven waarin Mussert sterk werd aangevallen. En toen kwam van Himmler het bericht naar Rauter dat hij moest zorgen dat ik uit Nederland verdween. En toen werd ik eerst naar de Rijn opgeroepen. Naar de Reichsjugendführung ben ik toen geweest en vandaar naderhand naar Graz, waar ik dan een soldatenopleiding zou krijgen.

WB: In Oostenrijk was u dus gewoon SS'er

Daar werd ik ss-soldaat, je, dus daar kreeg ik gewoon de militaire opleiding. Ja, het was zover, dat er kwamen in die kazerne in Graz, daar kwamen Hongaarse troepen met karren met kleine paardjes ervoor, die voeren ook mensen mee die als joden werden beschouwd. En onze Zugführer die beroemde zich erop dat hij die 's nachts doodschoot en er was inderdaad, hoorde je executies en je hoorde ook allerlei vervelende dingen. De volgende dag zag je kleding overal liggen die aan de joden hadden toebehoord. Er waren bombardementen geweest, er waren gaten geslagen in het terrein van de kazerne en daar bleken de lijken van de joden bleken daarin opgeborgen te worden en dichtgeschoven te worden.

Ik heb ook gezien dat er mensen geëxecuteerd waren. Dat waren zes mannen en die hadden vergrijpen gedaan; diefstal, moorden, in de omgeving van de kazerne en die werden geëxecuteerd. Dan stond het hele bataljon aangetreden, twaalf man executiepeloton. En dan werden ze van de paal los gemaakt door mensen die zelf ter dood veroordeeld waren en zaten te wachten op een verzoek tot gratie dat naar Hitler was gegaan en dat toch altijd werd afgewezen. En die moesten dan dat lijk naar de plaats brengen met zijn vieren, twee aan de armen en twee aan de benen, waar die begraven zou worden. En dat vond ik een afschuwelijk gebeuren.

WB: Heeft u gereageerd daarop?

Wat de joden betreft, toen kwam er een Nederlandse onderofficier en ik raakte met hem in discussie, ik zei dat als de oorlog eenmaal gewonnen was dat de Führer de mensen, die daarvoor verantwoordelijk zouden worden, beslist zouden bestraffen. En hij zei: 'Ja, maar we kunnen niet anders, we hebben zelf al niet genoeg te eten en dan al die monden erbij dat gaat niet.' Nou, ik was furieus daarover en zij gingen weg. En later hoorde ik dat ik deel zou moeten maken van het executiepeloton. Ik zeg: 'Nou, dat doe ik niet. Ik ben hier gekomen om tegenstanders te bestrijden, om communisten tegen te houden om in Europa te komen. Maar niet om als beul op te treden.' 'Nou, dat zullen we dan wel een zien.' En de volgende dag zou een executie plaatsvinden waar ik dan van het peloton zou moeten deel uit maken. Maar die nacht toen vond er een bombardement plaats op de kazerne en toen was alles zo ontregeld dat die executie niet doorging. En enige dagen later toen vertrokken we naar de zogenaamde Alpenvesting die nooit gerealiseerd is, maar wat wel de bedoeling was dat die nog tot op het allerlaatste tegenstand zou bieden.

Leden van de Landwacht, 1944.

Een Nederlandse ss'er leest *Storm*.

Vluchtende NSB'er op Dolle Dinsdag.

5 september 1944, Dolle Dinsdag: Haagse NSB'ers vluchten naar het station.

9
Een verloren oorlog

Tegen het einde van de oorlog liep de radicalisering van de nazi's uit op een apocalyptische drang om in het zicht van de ondergang alles en iedereen te vernietigen. In tegenspraak daarmee lijkt het feit dat veel Duitsers en NSB'ers niet wilden en konden geloven dat Duitsland de oorlog zou verliezen. Maar zo vreemd was dat niet. Hoe dichter de ondergang naderde, hoe heftiger vaak de verdringing van deze angstaanjagende mogelijkheid. Als Duitsland de oorlog zou verliezen, zou, zo was er jarenlang bij Duitsers en NSB'ers ingehamerd, heel Europa aan de bolsjewistische horden ten prooi vallen. Het zou uit zijn met een normaal leven, als men al in leven bleef. Het zou het einde zijn van de Europese cultuur.

Daar kwam bij dat degenen die aan Hitlers kant hadden gestaan, wraak vreesden. Wraak van de Russen op het Duitse volk, wraak van de Nederlandse bevolking op de lieden die tot het laatst de Duitsers in hun steeds hardvochtiger onderdrukking hadden gesteund. Alleen daarom al was het uit psychisch zelfbehoud nodig alles wat wees op het verliezen van de oorlog weg te redeneren.

De verloren slag om Stalingrad omstreeks de jaarwisseling van 1942-1943 betekende voor de NSB'er nog niet het begin van Duitslands einde. Wat voor de anti-nazi gezinde Nederlander de langzame weg naar de bevrijding was, zag de NSB'er, wílde hij zien, als een reeks van tijdelijke tegenslagen: de gestage opmars van het Rode Leger naar de Duitse oostgrens, de val van Mussolini medio 1943 (mede veroorzaakt door zijn eigen fascistische partijleiders) en vervolgens de wapenstilstand van Italië met de geallieerden, de invasie in Normandië en de bevrijding van Frankrijk en België.

Toen begin september 1944 de geallieerde troepen de Nederlandse grens waren genaderd, volgde de eerste werkelijke tegenslag in de opmars. De op 17 september begonnen operatie Market-Garden mislukte bij de brug van Arnhem. In de volgende maanden werd het zuiden van Nederland echter bevrijd, zij het met veel strijd en verliezen. Het Duitse Ardennen-offensief in december 1944 gaf veel Duitsers en NSB'ers weer hoop, maar na enige weken was het duidelijk dat het offensief mislukt was. De niet-ingewijden aan Duitse kant wisten echter niet dat Duitsland hiermee zijn laatste militaire reserves had verspeeld.

Aan Duitse zijde was de laatste hoop, van Hitler tot de eenvoudige Landwachter toe (zoals uit de getuigenverklaringen blijkt), gevestigd op twee wonderen. Ten eerste hoopte men er op dat het nu tussen de westelijke geallieerden en de

Sovjet-Unie tot grote onenigheid en misschien zelfs tot een gewapend conflict zou komen. En meer nog koesterde men grote verwachtingen van de door Hitler herhaaldelijk aangekondigde Wunderwaffen: verschrikkelijke, geheime wapens die door hun destructiekracht een totale ommekeer in de oorlog zouden brengen. De hoop op dergelijke wapens werd tot op zekere hoogte gevoed door de werkelijkheid. Vanaf juni 1944 werd Londen bestookt met de V-1, de vliegende bom, vanaf september bovendien met de gevaarlijkere V-2, een raket met explosieve lading van grote kracht, die voornamelijk vanuit Nederland werd gelanceerd. Maar hoezeer Londen en de bevrijde Belgische steden Antwerpen en Luik ook onder deze wapens te lijden hadden, van strategisch belang waren zij niet, laat staan dat zij een ommekeer in de oorlog teweeg brachten.

Eind januari 1945 stonden de Russen reeds aan de Oder, waar de Duitsers zich zeer taai verdedigden. Hier vocht ook de SS-brigade Nederland, thans met de status van divisie, die uit Koerland in het Baltische gebied, gedeeltelijk over zee teruggetrokken was. (Onze getuige De Munck maakte dit vanwege zijn verwonding evenwel niet mee.) In april 1945 overschreden de Sovjetlegers massaal de Oder en naderden Berlijn. De geallieerden waren al eerder over de Rijn gekomen en stootten diep in Duitsland door. Arnhem, dat met het omliggende gebied geheel was geëvacueerd (zo ook de plaats Renkum, waar onze getuige Zijlmaker burgemeester was) werd medio april door de Engelsen bevrijd.

Heel het oosten van Nederland werd nu door de geallieerden bevrijd. De geallieerde troepen hielden voorlopig aan de westelijke rand van de Veluwe halt. Met de Duitse bezetter, opgesloten in het westen, werd een overeenkomst bereikt, waarbij de Duitsers toelieten dat de geallieerden uit vliegtuigen voedsel afwierpen voor de hongerende bevolking in west-Nederland. Dat gebeurde voor de eerste keer op 29 april.

Het einde van de oorlog leek de meeste Nederlanders nu een kwestie van dagen. Wat dachten de anderen, die vijf jaar lang op het Duitse paard hadden gewed, van hun kansen in dit terminale stadium? Het is onmogelijk daarvan een scherp beeld te krijgen. Hoop en vrees zullen altijd al met elkaar hebben gestreden, evenals bij de anti-nazi Nederlanders, zij het dat daar de objecten van hoop en vrees precies omgekeerd lagen.

Er zullen stellig NSB'ers zijn geweest, die al in een voor hen vroeg stadium, na de slag van Stalingrad bijvoorbeeld, aan een Duitse eindoverwinning zijn gaan twijfelen. Vermoedelijk hoopten zij dan toch op een compromisvrede; in bepaalde kringen van de NSB werd in 1943 wel eens met die gedachte gespeeld.

Het lijkt er echter op dat een groot deel tot zéér ver in de oorlog, tot en met april 1945, bleef hopen. Wat de getuigen hier tot uitdrukking brengen (met De Munck als uitzondering), wordt door ander bronnenmateriaal bevestigd: veel overtuigde nazi's realiseerden zich pas werkelijk dat de oorlog verloren was toen zij het bericht hoorden dat hun Führer op 30 april gestorven was – dat hij zelfmoord had gepleegd, werd nog verheimelijkt. De man die Hitler tot ieders verrassing benoemd had tot opvolger, admiraal Doenitz, had waarlijk niet het charisma om Wehrmacht, ss of binnen- en buitenlandse nazi's tot verder strijden te inspireren en hij wenste dat ook helemaal niet. De oorlog was afgelopen.

GETUIGENISSEN

Van der Veen

WB: Het ging aan het front natuurlijk steeds minder goed?
Ja.

WB: Wat dacht u dan?
Ja, ich hatte immer, Hitler die had über, eh... over geheime Waffen. Ich hatte immer gedacht: er komt nog een Geheimwaffe, dat keert, dat draait zich nog weer om. Duitsland die wint. Maar die had het niet gewonnen.

WB: Heeft u nooit gedacht: dat gaat mis, ik houd er mee op?
Ja, nee. Ik heb wel gedacht, maar dat war natuurlijk in de laatste tijd, toen wist iedereen wel dat het mis ging. Maar ermee ophouden, das kon ik mijn eigen kameraden en vrienden niet aandoen. Dan heb ik me gedacht: wenn we onder gaan, gaan we allen onder, ga ik mee. En ik heb er ook geen spijt van gehad.

Kardoes

WB: Meneer Kardoes, u zat in de oorlog in België, u bent een soort buitenland-NSB'er geweest toen. Had u eigenlijk het idee – het ging Duitsland steeds slechter, je kreeg Stalingrad, nederlagen – heeft u nooit getwijfeld aan de eindoverwinning?
Misschien van binnen wel eens een keer. Maar ik verkeerde natuurlijk in een omgeving eigenlijk met mensen die min of meer dachten zoals ik, en we waren elkaar dus allemaal een beetje aan het helpen met het idee van: dat moet goed komen. Het merkwaardige is dat van mensen zoals ik er een ben, zo waren er toch in die tijd kennelijk wel meer, die konden domweg niet geloven dat ons systeem, en dan in dit geval vertegenwoordigd door de macht van Duitsland, daar waren we door geïmponeerd toen, door dat leger, dat die zouden verliezen. Ik ben steeds, tot heel ver in de oorlog, heb ik gedacht: ze redden het nog wel. Natuurlijk zijn we zoet gehouden met verhalen over Wunderwaffen en zulke dingen meer, maar...

Ik praat nu niet over de NSB en over Nederland, maar over de uiteindelijke overwinning van het nationaal-socialisme, of van Duitsland in dit geval. Zelfs na Mussolini's afzetten, door de fascistische raad, heb ik zelfs gedacht: nou gaat het pas goed, nou zijn we eindelijk verlost van die Italianen. Die hebben alleen maar veel energie van Hitler weggenomen, van de overwinning weggenomen, en nu kunnen we eindelijk schoon schip maken.

WB: Wanneer dacht u: nou gaat het echt mis?
Dat heb ik zelfs toen ik in het Belgische kamp zat... Misschien heel kort, misschien in april 1945 gezien. Ik weet, ik zat in dat Belgische kamp, onder

andere met een Japanner. En ik zat in het kamp ook na de Duitse capitulatie, dus na mei 1945, toen was Japan nog niet gecapituleerd, en ik zat ook in augustus nog in dat kamp toen Japan capituleerde, na Hiroshima. En die Japanner die wilde dat helemaal niet geloven. Die wilde dat pertinent niet geloven. Nou, een klein beetje van die mentaliteit, natuurlijk niet zo extreem als die Japanners, hadden wij waarschijnlijk toch ook. Tenminste, lang niet alle NSB'ers. Er waren NSB'ers die al vanaf 1937 voor de NSB bedankten, omdat ze die verkiezingsnederlaag hadden. Dus er moest voor alle NSB'ers heel wat gebeuren, voordat ze absoluut het idee waar ze nu eenmaal in geloofden, voordat ze dat definitief opgaven voor een wereld die we dan zouden krijgen en die we niet zagen zitten. En die achteraf natuurlijk niet altijd zo slecht bleek te zijn.

WB: U zat in het Belgische kamp toen u hoorde dat Hitler dood was.
Ja, ja.

WB: Wat dacht u?
Dat is nu dus afgelopen, ja. Dat is dus... dat is eind april geweest. Wanneer is Hitler doodgegaan, eind april, ja.

WB: Er werd toen gezegd: strijdend...
Ja, strijdend. Ik weet niet of ik die tekst gehoord heb, ik zat toen in een kamp. Dus ik kreeg toen geen Duitse propaganda.

WB: Maar er was, neem ik aan, om u heen een grote verslagenheid.
Ook een opluchting bij sommigen. Het ligt er natuurlijk aan, men heeft natuurlijk medestanders die min of meer uit overtuiging iets zijn geweest of misschien dat ze er beter van worden, of dat ze toch... of meelopers. Ik was pertinent, helaas dus achteraf, geen meeloper.

Zijlmaker

De getuige Zijlmaker werd in december 1944 burgemeester van Renkum, vlak bij Arnhem, waar Britse en later Poolse parachutisten op 17 september 1944 landden. Bij Arnhem werd Market-Garden echter een mislukking door de krachtige tegenstand van onder meer delen van de SS-tankdivisie 'Hohenstaufen'. Opvallend is, dat Zijlmaker op de hierna volgende vraag niet in gaat, en het verder alleen heeft over de in 1937 door de regering aan onder andere de burgemeesters verstrekte *Aanwijzingen* voor het handelen tijdens een (toen onwaarschijnlijk geachte) bezetting. In dit stuk werd een onvoorwaardelijke samenwerking met de bezetter overigens niet aanbevolen, laat staan voorgeschreven.

WB: Wanneer zag u eigenlijk dat de oorlog afgelopen was, dat het mis ging met de Duitse overwinning?

Ja, u krijgt dus dat op een gegeven ogenblik in dit strijdgebied, waar ik toen als eenzame figuur zo'n beetje functioneerde. Niet waar, de geallieerden kwamen, en dat gebeurde op 17 april, want wij hebben daarvoor een landing gehad op 19 september, toen was ik nog geen burgemeester in dit gebied. En die is door de divisie Hohenstaufen, die toen toevallig in Velp zetelde, een pantserbrigade, die in de Achterhoek gevestigd was, is deze totaal onderdrukt. En dat heeft dus geleid tot het volkomen falen van de onderneming Market-Garden, zoals die door de Engelse kant naar voren was gebracht. [...]

En verder heeft men later dus ook voor mij als voordeel gerekend, dat ik ben opgetreden tegen de Duitse bezetter, ronduit geweigerd heb om te voldoen aan de eis van de commandant van de Fallschirmjäger Oberst Graf von Kersenbrock, die in Bennekom zetelde, om het gebied te verlaten. En ik ben toen gevangen genomen, zogenaamd wegens spionage, maar deze graaf von Kersenbrock heeft dat dus moeten inslikken naar aanleiding van het feit, dat de SD zich volkomen achter mij opstelde als politieke figuur en de overheid van de divisie Hohenstaufen aan het verstand heeft gebracht, dat ik geen spion was, maar dat ik gedegen rechtmatig daar in de gemeente Renkum zat.

WB: Maar heeft u nooit gedacht: Duitsland gaat verliezen, wat gaat er met mij gebeuren?

Nee, ik was dus er volkomen van overtuigd... Ik had mij dus op dit gebied, hadden wij allemaal een brochure gekregen van de Nederlandse regering. Over hoe men als burgemeester te handelen had in oorlogstijd en die schreef dus voor, dat welke bezetting er ook was, dat volgens het Landoorlogreglement men moest samenwerken met de bezetter en dat men in de eerste plaats als burgemeester zich te gedragen had als vader van de bevolking in de plaats waar men was.

Driessen

WB: U heeft aan een vreemde krijgsmacht deelgenomen en getreden in vreemde krijgsdienst.

Ja, inderdaad.

WB: Besefte u dat dat buitengewoon ernstig was?

Niet in het minst. Ik heb ook geen ogenblik, tot aan het bericht dat Hitler was omgekomen, heb ik geen ogenblik getwijfeld aan de overwinning van het nationaal-socialisme. En had ik altijd een onverwoestbaar geloof in de mystieke kracht van Hitler.

WB: En in die geheime wapens?

Die werden gezegd, dus daar vertrouwde ik ook in, dat die er zouden komen.

WB: Wat dacht u toen u hoorde dat Hitler dood was?
Dat het nu afgelopen was. We werden nog opgeroepen om de eed aan Doenitz af te leggen. Maar ik heb die formule niet uitgesproken, want voor mij was het een Germaanse overtuiging en niet de Duitse overtuiging. En ik dacht ook dat juist door die mystieke gevoelens ten opzichte van Hitler, als hij weg was, dat het toch niet tot iets zou leiden.

De Munck

WB: Op een gegeven moment had je toch, in de loop van 1945 dat natuurlijk het front dreigde ineen te storten. Dat moet heel erg geweest zijn voor u.
Nee. Dat is voor een burger erg, maar voor een soldaat niet. Want kijk eens, ik heb het zoëven al gezegd, het is in de geschiedenis vaak gebeurd dat men meende verloren te zijn en dat ter elfder ure toch redding kwam.

WB: Het eind van de oorlog, waar was u toen?
Toen was ik in Bodegraven.

WB: Ja, u was in Nederland, dat bedoel ik.
Ja, ik was in Nederland want het bataljon werd ingezet, de Russen zaten al in oost-Breslau en toen ben ik met een blindedarmontsteking er tussenuit gekomen, toevallig. En toen ben ik na mijn lazaretverpleging heb ik mijn broer opgezocht. Dat telegram, dat was een week of vier onderweg, die was getrouwd inmiddels met een meisje wat hij had leren kennen in Duitsland, daar is hij nog mee getrouwd. En toen zijn we beiden richting Hamburg gegaan en zijn we in Bremen terecht gekomen. Daar hebben we nog in een bombardement gezeten, daar zijn we nog bijna voor de bijl gegaan. En toen zijn we bij Nieuweschans over de grens gekomen. En toen zijn we eigenlijk liftende en te voet – ik begrijp nog niet, want daar was dan zoveel illegaliteit werd verteld, wij waren in vol uniform met wapens en onderscheidingen – zijn wij naar Leeuwarden gegaan. Mijn tante schrok zich een hoedje, maar wij hadden gehoord, in het westen hadden ze honger, en daar stond inderdaad een pakket klaar. En toen zijn we naar Lemmer gegaan en daar hebben we een paar dagen gelegen en toen zijn we met de Lemmerboot naar Enkhuizen, Amsterdam gegaan. En toen lagen we voor de Handelskade, waar toen dat meteorologisch instituut was met die drie torentjes en toen hoorden we dan dat de Führer dood was. En toen zijn we door het kanalen en zo uiteindelijk in Bodegraven terecht gekomen.

WB: Wat dacht u toen Hitler dood was: nu is het helemaal voorbij?
Nee hoor, geen mens is onvervangbaar. Dat is onzin.

WB: Ja, maar het lukte toch niet hè?

Het lukte toch niet, dat is achterafgepraat... En toen kwam dan die wapenstilstand. Die dag dat dat voedsel naar beneden gegooid was.

WB: Maar toen dacht u, het is nou echt voorbij.

Ja, natuurlijk. Maar ik had in Koerland ook, had ik al tegen mijn mannen gezegd, er waren verschillende opvattingen: 'Kijk, ik weet één ding, als wij deze oorlog verliezen, dan zal de wereldchaos niet te overzien zijn.' Nou, kijkt u maar om zich heen.

Wervingsaffiche voor de Waffen-ss.

Nederlandse ss'ers worden beëdigd, 1944.

Nederlandse oostfrontstrijder.

10
Bestraffing

Na de bevrijding zou worden afgerekend met het kwaad, met de 'foute' landgenoten, die de bezetter hadden geholpen of daarvan werden verdacht. Deze afrekening heeft ook plaats gevonden. Zij die van collaboratie werden verdacht, werden door 'goede' Nederlanders uit hun huizen gesleept en onder algemene toejuichingen opgesloten. Lynchpartijen bleven daarbij uit. In totaal zijn tussen de 120 000 en 150 000 mensen door arrestatieploegen van diverse pluimage opgepakt en ondergebracht in ruim honderddertig gevangenkampen die als tijdelijke bewaarplaatsen fungeerden. Daarnaast werden nog minimaal 300 000 dossiers gevormd over niet-gearresteerden, die van collaboratie werden verdacht. Op deze wijze waren bijna een half miljoen mensen als verdachte betrokken bij de bestraffing van de 'foute' Nederlanders, ongeveer vijf procent van de toenmalige bevolking, de betrokken vrouwen en kinderen van NSB'ers niet meegerekend. Al kwam het niet tot 'bijltjesdag', tot eigenrechting en massaal bloedvergieten, de algemene arrestatiewoede leidde ertoe dat duizenden mensen werden opgesloten op plaatsen die daarvoor niet geschikt waren. Onder de meer dan 100 000 'foute' Nederlanders die werden geïnterneerd, bevonden zich ook de zes NSB-leden uit dit boek. De kampen, waarin zij hebben moeten leven, hebben in het algemeen geen goede naam, zeker niet bij de voormalige gevangenen. Voor Nederlandse begrippen was het verblijf in deze kampen hard. Zij waren soms overvol, voedsel was er zeker kort na de bevrijding onvoldoende en in de winter kon het er knap koud zijn. De gedetineerden sliepen veelal op stro. De medische verzorging liet hier en daar veel te wensen over. Briefwisseling en bezoek waren beperkt tot één keer per maand. Het haar moest kort worden gedragen. Er mocht niet worden gerookt en ook 'luidkeels lachen, zingen en fluiten tijdens het werk is verboden'.

Zeker in de eerste maanden van de bevrijding is het in een aantal kampen gekomen tot mishandelingen door de bewakers, die in de bezettingstijd aan de 'goede' kant hadden gestaan. De schaal waarop deze excessen plaatsvonden, wordt door voormalige NSB'ers vaak overdreven; hierbij wordt dan verwezen naar de in 1949 verschenen brochure van de voormalige gevangene dr. H.W. van der Vaart Smit, waarin talrijke zware, soms sadistische mishandelingen in een groot aantal verschillende kampen zijn opgesomd. De bedoeling van deze klachten is aan te tonen, dat er geen principieel verschil bestond tussen de kampen van het naoorlogse Nederland en de kampen van het Derde Rijk. De gedachtengang is vermoedelijk dat in beide maatschappijvormen macht dus recht maakt; de conclusie luidt dan dat het de Nederlandse samenleving aan het morele recht tot bestraffing van de politieke delinquenten ontbrak.

Het heeft niet veel zin op dit soort redeneringen in te gaan. Volstaan kan worden met er op te wijzen dat van de ruim honderdduizend uit Nederland weggevoerde joden vijfennegentig procent niet is teruggekomen. Van de meer dan honderdduizend mensen die na de oorlog in Nederland geïnterneerd werden, zijn er veertig tengevolge van mishandelingen om het leven gekomen, veel minder dan één procent dus. Van de zes getuigen in dit hoofdstuk heeft er één persoonlijk een mishandeling ondergaan. De andere vijf, voormalige leden van de NSB, WA, de Wach- und Schutzdienst, de Landwacht en de Waffen-SS hebben geen mishandelingen ondergaan en ook bij anderen niet zelf gezien. Juist in het geval van de Landwachter Van der Veen moet men dit opvallend noemen, aangezien vooral de Landwachters in de kampen slecht behandeld zouden zijn.

Toen de kampen overvol waren, lag het probleem van de berechting van de politieke misdadigers niet langer in handen van de bevolking. Nu moest een justitieel apparaat worden opgebouwd dat 'Snel, streng en rechtvaardig' zou berechten en veroordelen. De eersten die zich voor een Bijzonder Gerechtshof, waar de zware gevallen zouden worden afgewerkt, moesten verantwoorden, waren prominente NSB'ers als Mussert en de radiopropagandist Max Blokzijl. In beide gevallen werd de doodstraf geëist en uitgesproken. Nadat Blokzijl en Mussert tevergeefs beroep hadden aangetekend bij de Bijzondere Raad voor Cassatie, werd het vonnis voltrokken.

Vervolgens werd een scheiding aangebracht tussen 'lichte' en 'zware' gevallen om een zeker tempo in de berechting te garanderen. NSB'ers als Zijlmaker en Kardoes, die uitsluitend lid waren geweest van de landverraderlijke NSB, werden als 'lichte' gevallen aangemerkt. Indien deze zaken voor de rechter kwamen, werden zij in beginsel behandeld door een Tribunaal dat de verdachten tot hoogstens tien jaar kon veroordelen. Deze instellingen hebben bijna 50 000 uitspraken gedaan. Als bijkomende straf werden tienduizenden uit het kiesrecht ontzet. Dat dit ook NSB'ers kon overkomen die niet door een Tribunaal werden gevonnist, blijkt uit het voorbeeld van Kardoes. Waarschijnlijk viel hij onder het Besluit Politieke Delinquenten 1945. Op grond hiervan werden tienduizenden NSB'ers voorwaardelijk buiten vervolging en in vrijheid gesteld, in het algemeen op voorwaarde dat zij in het openbaar zouden zwijgen over de NSB. Afhankelijk van de persoon konden gedurende de proeftijd van drie jaar nog andere voorwaarden worden opgelegd, waaronder boetes en meldingsplicht bij de politie.

NSB'ers die in bijzondere mate hulp hadden verleend aan de vijand, bijvoorbeeld door verraad te plegen of door wapens te dragen voor het Derde Rijk, moesten voor een Bijzonder Gerechtshof verschijnen. Wie voor dit type rechtbank kwam, kon straffen van meer dan tien jaar, levenslang en zelfs de doodstraf tegen zich horen eisen. De Bijzondere Gerechtshoven vonnisten 15 000 mensen, onder wie onze getuigen Van de Berg, Driessen, Van der Veen en De Munck.

Van der Bergh behoort tot de categorie van bijna 8000 veroordeelden, die er voor het Bijzonder Gerechtshof het lichtst afkwam, met minder dan vijf jaar. Hij werd veroordeeld tot drieëneenhalf jaar. Dat een niet zeer zware zaak als de zijne door een Bijzonder Gerechtshof werd behandeld, is vermoedelijk een gevolg van het feit dat de Wach- und Schutzdienst, een gewapende bewakingsdienst voor militaire objecten, ressorteerde onder de Wehrmachtsbefehlshaber in den Niederlanden. Daardoor kon zijn dienstneming bij de Wach- und Schutzdienst worden beschouwd als het treden in vreemde krijgsdienst, ook al had hij niet gevochten aan het oostfront. Wanneer in dit soort gevallen de verdachte aannemelijk kon maken dat hij voor dienstneming geen ideologische motieven had gehad, maar uit overwegingen van economische aard Duitse wapens had moeten dragen, was een straf van ongeveer drie jaar de regel.

Driessen, die zich na Dolle Dinsdag bij de Waffen-SS had gemeld, behoorde tot de ongeveer 4500 veroordeelden die van het Bijzonder Gerechtshof straffen tussen de vijf en tien jaar kregen. Ook hij zal zijn veroordeeld wegens het treden in vreemde krijgsdienst. Na vier tot vijf jaar kwam hij vrij. Rond die tijd, in het begin van de jaren '50, werden ook de NSB-leider uit Roden, de Landwachter Van der Veen, en de Waffen-SS'er De Munck weer op vrije voeten gesteld. Buitensporig lang kan men de periodes van detentie die deze wapendragers zijn opgelegd niet noemen. Wanneer men afgaat op de door de getuigen afgelegde verklaringen lijken zij niet te streng te zijn gestraft, ook al denken zij daar soms anders over.

GETUIGENISSEN

Kardoes

WB: Waarom [heeft men u in Antwerpen opgepakt]?
Omdat ik fout was. Men had dus aan mijn contacten met die mensen gezien dat ik fout was. Ik was ook geabonneerd op een fout dagblad. Dat heette toen de *Brüsseler Zeitung.* Behalve op een Vlaams blad was ik geabonneerd op dat blad. Dat was natuurlijk foute hap. Dus ik werd door de Belgische buurman aangewezen als 'zwarte'. En ik ben als 'zwarte' toen opgepakt op Dolle Dinsdag en heb de nodige Belgische kampen en gevangenissen doorgemaakt.

WB: Want, op Nederlandse Dolle Dinsdag was Nederland nog bezet, België niet meer.
Nee, België niet meer, tot het Albert-kanaal niet nee, en ik heb dus moeten wachten in België tot Nederland bevrijd was. Eigenlijk is het zo, dat de Belgen hadden helemaal niks op mij aan te merken. Ik was dan een 'zwarte' en toen na ongeveer bijna een jaar gezeten te hebben in verschillende kampen, ben ik voor de Procureur des Konings verschenen in Brussel. En die heeft me vrijgesproken. Want er lagen geen aanklachten wegens verraad of wapendragen of noem maar iets, werd ik vrij gesproken. Maar dat wil nog niet zeggen dat ik vrijgelaten werd, want er was een missive vanuit Londen gekomen, dat alle verdachte personen van Nederlandse nationaliteit die men na de bevrijding in België vast had genomen, dat die in hechtenis moesten blijven tot Nederland bevrijd was.

En ik heb dus moeten wachten in een kamp, een vreemdelingenkamp. Waar alle nationaliteiten van de hele wereld in zaten. Tot Nederland bevrijd was, en dat heeft... dat was niet in mei 1945, maar dat was voor mij dus november '45. Toen werd ik op transport gesteld naar de Nederlandse grens, daar werd ik neergezet, zonder bewapening. En daar kwamen ze met een auto van de Nederlandse kant in het niemandsland, en dan werd ik opgepakt en heb ik dus het Nederlandse kamp meegemaakt.

WB: Ik wilde nog even over twee dingen met u spreken. Als eerste de kampen na de oorlog, dat was zoals bekend niet goed, het was een smet op Nederlands blazoen na de oorlog. Heeft u het ook zo meegemaakt?
Ja, ik heb god zij dank de kampen van mei 1945 in Nederland niet meegemaakt, want ik ben er pas in november '45 in Vught terechtgekomen. Dus mijn naarste kampervaringen zijn België geweest. En de ervaringen in Vught waren niet best, maar dat verwachtte ik ook niet. Men heeft ons altijd gesteld tegenover de Duitse kampen en hoewel ze dan erbij zeiden: 'Wij zijn veel beter dan die moffen,' en dat waren ze ook, maar het waren nou niet direct fatsoenlijke lieden.

WB: Toen heeft u dus een aantal jaren vastgezeten.
Nee, in totaal maar anderhalf jaar. Ik ben toen hier, in Vught geweest, van

Philips Eindhoven naar Vught en van Vught naar Weesp, en van Weesp naar Laren. En daar ben ik in maart 1946 vrijgelaten. Omdat ze vonden dat anderhalf jaar genoeg was. De zogenaamde lichte gevallen waren dat.

WB: *U bent veroordeeld.*
Nee, ik heb het, ik val onder het Algemeen Tribunaal Besluit. Ik ben dus hier in Holland wel verhoord door de POD [Politieke Opsporingsdienst], uiteraard, diverse malen. En ze wisten natuurlijk hier in Naarden precies wie ik was, want ze kenden me van voor de oorlog natuurlijk, en mijn lidmaatschap van de NSB was niet te loochenen, uiteraard. Maar men heeft mij dus in maart '46 vrijgelaten, omdat men rekening hield met de tijd die ik in België gezeten had.

WB: *Mocht u nog kiezen en gekozen worden?*
Nee, ik heb dat Tribunaal Besluit, dat hield in, dat papiertje dat je kreeg, en daar stond in: 'tien jaar passief en actief uitgesloten voor verkiezingen'. Dus ik heb inderdaad tien jaar niet kunnen kiezen, en na tien jaar heb ik voor het eerst in mijn leven gekozen.

WB: *Was dat een gebeurtenis?*
Dat was, vind ik een aardige vraag, dat was zeer eervol, ik dacht: nu hoor ik er weer bij. Ik bedoel, dat bleek achteraf niet helemaal zo te zijn, maar ik had het gevoel dat ik weer mocht mee doen.

Zijlmaker

WB: *Na de oorlog bent u veroordeeld tot hoeveel?*
Ik heb dus na de oorlog ben ik veroordeeld tot negentien maanden, waarbij dus ook een grote rol heeft gespeeld, dat ik in die tijd een poging heb ondernomen om het gemeentearchief te redden, dat dus erg gevaarlijk was opgesteld in [...] het gemeentehuis van de gemeente Renkum. Ja, ik wilde dus nog eerst vertellen dat... Ik ben toen veroordeeld tot negentien maanden, en dat was de tijd dat ik gezeten heb in voorarrest, zoals ik dan... of eigenlijk in detentie, en dat men mij dus het recht om ambten te bekleden heeft laten behouden, wat natuurlijk een dode letter was, maar wat mij in die tijd toch tot een zekere voldoening vervulde omdat men volkomen erkende dat ik rechtmatig gehandeld had als burgemeester.

Van de Berg

In zijn getuigenis gaat de van origine katholieke Van de Berg onder meer in op door de Utrechtse aartsbisschop en kardinaal J. de Jong gedane uitspraken omtrent de naoorlogse behandeling van politieke delinquenten. Juist is dat De Jong (en andere kerkelijke leiders) een 'morele wederopbouw' voorstonden. Gevoelens van haat en wraakzucht jegens de politieke delinquenten keurden zij daarom af. Dat de Nederlandse bewaringskampen erger zouden zijn geweest dan de Duitse concentratiekampen, is hunnerzijds niet beweerd. De door Van de Berg genoemde Nijmeegse hoogleraar G.M.G.H. Russel, die betrokken was bij de brochu- re van Van der Vaart Smit, schreef in 1949 in het katholieke *De Linie* dat de bijzondere rechtspleging 'onwettig' was en moest worden beëindigd; de misstanden die daarbij waren voorgekomen, moesten officieel worden onderzocht.

WB: Hoe heeft u het eigenlijk gehad na de oorlog in het kamp?
Nou, niet al te prettig. Ik heb me vrijwillig gemeld. Want de mensen, die illegale mensen, waar ik omgang mee had, werden bedreigd als ik niet boven water kwam, dat zij dan gevangen werden gezet. Nou, en ze kwamen het me melden. Nou toen heb ik me in Nieuwersluis gemeld en ik kwam binnen en ik werd meteen kaalgeschoren natuurlijk. En toen hebben we goed leren leven met een druppeltje; dat we net niet konden sterven. En dat staat ook zwart op wit. De Jong heeft het duidelijk gesteld en ik viel ook van honderdveertig pond onder de honderd in een maand tijd.

WB: Maar ik hoor steeds die verhalen, dat het zo slecht was in die kampen, en er zijn namens het Nederlandse volk dingen gebeurd die allerminst zijn goed te praten. Dat is diep treurig, maar het wordt steeds vergeleken met de kampen in Duitsland en dat is natuurlijk geen enkel vergelijk.
Dat spijt me, ik heb het niet op de bon staan, maar De Jong was kardinaal geworden. En ik was in het kamp Amersfoort en ik was op een protestants kerkkoor, want die dirigent die kon het zo mooi brengen. En toen was er een mis, of een feestmis, ik weet niet meer precies wat het was. Een zaal, en ik kom binnen, en ik zie de zaal prachtig versierd met allemaal bloemen en dan moet je daar vanuit zo'n kruip langs die voorkant naar beneden gekropen zijn uit de strozak. En ik kom in die zaal, prachtige bloemen, en ik had geen bloem meer gezien in een jaar tijd. Nou, je wist niet wat je zag. En toen kwam er een pater, of een pastoor. En die kwam spreken. En die zegt het volgende: 'Mensen, namens kardinaal De Jong, moet ik laten weten dat kardinaal De Jong overtuigd is dat de Nederlandse kampen slimmer zijn dan de Duitse.' Woorden van deze pater, en nu zal ik het niet, en ik ben overtuigd, en ik zal het niet hebben over het aantal want een moordenaar wordt je niet door één of door honderd, want een moordenaar ben je altijd dan.

Maar, als ze het boekje, er is een boekje uitgegeven, dat heb ik uitgeleend en ik heb het nooit meer teruggekregen, en dat gaat over de toestanden in de Nederlandse kampen. Over misdaden, over vrouwen op ladders binden, met trechters naar binnen toe. Vrouwen werden die na afloop alle baarmoeders geopereerd moest worden enzovoorts. Die misdaden, zover als ik weet, vonden die niet plaats in de Duitse kampen en degenen die het uitgespookt hebben, die Hollanders, die namen zijn bekend en prof. Russel die heeft er zelf het voorwoord in geschreven. En al die misdadigers uit die tijd, die namen zijn doorgegeven aan de regering. Maar de regering, nee... want... waaien laten.

WB: Na de oorlog heeft u drie jaar gehad. Hoelang heeft u daarvan gezeten?
Bijna drieënhalf, zo'n anderhalve maand zal ik eerder vrijgelaten zijn. Maar toen ik vrij mocht, want ik kwam... Ik kreeg mijn papier toen ik drie jaar gevangen zat, meer dan drie jaar. Toen kreeg ik mijn papier, dat ik voor moest komen en toen kwam ik voor in Utrecht en ik zal het nooit vergeten en ik wist dat die rechter zou vragen of ik spijt had. Nou als je weg recht en eerlijk geweest is, dan heb je geen spijt. Ik kan ook geen spijt hebben, want ik heb de Nederlandse vlag willen verdedigen, tegenover de moffen. Dat heb ik ook altijd gedaan. En ja hoor, toen vroeg hij: 'Heeft u spijt?' Ik zeg, en ik had een mooi zinnetje bedacht, ik zeg: 'Edelachtbare, als ik terug kom in de maatschappij, dan hoop ik dat ik de maatschappij mooier terugvind dan ik gehoopt had te kunnen brengen.'

Driessen

WB: Waar en door wie bent u gevangen genomen?
Ik was samen met iemand anders en moest daar kwartier maken voor ons bataljon. We hadden allebei een fiets en dan zou dat bataljon daarop volgen. Dus wij met de fiets door de kant van de Enns heet dat riviertje geloof ik, en daar kwamen we aan en toen was er een grote ontreddering. Allerlei mensen vertrokken zonder dat er iets werd gezegd. We wisten ook niet waar we ons moesten melden, trouwens er was geen plek meer om te melden. En toen bleek dus dat het Derde Rijk had gecapituleerd. Nou, we gingen met vrachtauto's dan ook proberen die grens over te komen. Dan was er geen benzine, werd die vrachtauto zonder meer in de beek gegooid en wij weer proberen verder te komen. En toen kwamen we op dat gedeelte dat door de geallieerden zou worden bezet. Je zag mensen met van die padvindershoeden met één rand omhoog, dat bleken Australiërs en Zuid-Afrikanen te zijn. En we moesten samenkomen op weilanden bij het plaatsje Mauthausen. Nou, daar werden we verzameld, Wehrmacht, SS, marine, alles wat daar maar was. En toen ben ik verder gegaan naar Braunau. Ik kwam op dat weiland, ik heb m'n pistool uit elkaar gehaald en in de beek gegooid en met een vrachtauto gingen we eerst naar Braunau. Dat was toevalligerwijze de geboorteplaats van Hitler. Daar was de brug opgeblazen en verderop was een dam, die was intact gebleven. Met die vrachtauto gingen we daarheen en dan kwamen we tegenover dat plaatsje aan de Inn waar Braunau lag, dat was Simmbach geloof ik, dat Duitse plaatsje.

Net voordat ik uit Graz was vertrokken had ik gehoord dat mijn vrouw, die zuster bij het Rode Kruis was, naar Landshut was overgeplaatst. Toen ben ik naar Landshut gelopen en daar heb ik mijn vrouw getroffen. Toen hebben we ons gemeld om als buitenlandse arbeiders naar Nederland terug te gaan. We hebben daar ongeveer een week gewacht en toen gingen we naar Bamberg, geloof ik. En daar waren werden we opgevangen in een soort oude kazerne en daar moesten we wachten voor een onderzoek. Er was een jongetje van een jaar of vijftien voor mij geweest en die ging naar binnen, en die kwam weer terug en ik zei: 'Nou wat deden ze?' 'Onder mijn arm kijken!' 'En wat vonden ze daar?' 'Een luis.' Maar ik wist wat dat betekende, want bij de SS had je onder de arm een bloedgroepteken gekregen, wat je bloedgroep was voor het geval je in de oorlog ernstig verwond zou worden en ze geen tijd hadden om je bloedgroep vast te stellen en dan konden ze je meteen, als dat nodig was, je het nodige bloed toedienen. Nou, toen was ik aan de beurt en toen vroegen ze of ik bij de SS was geweest. Ja. Nou, toen maakte ik kennis met alle hoeken van de kamer en werd ik gevangen genomen en steeds mishandeld.

WB: *Tot hoeveel jaar bent u veroordeeld uiteindelijk?*
Er werd tien jaar geëist tegen me, ik werd tot acht jaar veroordeeld en na vier, vijf jaar kwam ik vrij.

WB: *Dat is een hele zware veroordeling.*
Dat vind ik ook, ja.

WB: *Had u het ernaar gemaakt?*
Dat vind ik van niet, nee. In die zin, dat ik ben altijd gedreven door een grote vrijheidsdrang, en ik heb nooit de opzet gehad om landverraad te plegen, dat heb ik dan ook niet gedaan. Ik heb wel een bepaalde overtuiging gehad. Die overtuiging heb ik uitgedragen, en dat ik daarvoor veroordeeld ben geworden vind ik onrechtvaardig.

WB: *Ja, maar we hebben het al gehad over de misdrijven van het regime...*
Ja, maar daaraan heb ik part noch deel gehad en een heleboel andere mensen hebben daar ook part noch deel aan gehad. Degenen die zich aan misdrijven hebben schuldig gemaakt dat zijn toch uitzonderingen geweest en van die mensen heb ik net zo'n afkeer als u ongetwijfeld zult hebben.

Van der Veen

WB: *U heeft na de oorlog in een kamp gezeten. In die kampen zijn minder goede dingen gebeurd, dat was niet goed wat er zich daar allemaal afspeelde. Heeft u zelf dingen meegemaakt?*
Persoonlijk: nee, weil ik persoonlijk ook nie geslagen ben oder etwas. Ik heb wel straf gehad. Maar ja, das waren straffen weil ik tegen de kampvoorschriften war. Bijvoorbeeld roken, roken was streng verboden. Ik heb altijd gerookt. Zelfs in Veenhuizen, waar we elke nacht in ijzeren kooien opgesloten waren, zelfs daar heb ik in die ijzeren kooien gerookt. Maar wenn men dan betrapt wurde, ja, eerst een pak slaag. Maar ik, ik ben wel betrapt worden wegens roken in

Westerbork. En zelfs driemaal in één dag en toen moest ik in de strafbarak. Maar ik war ja jong. Voor mij was dat niet slim. Marechaussees die moesten de straf exerceren in de rondte en de laatste die kreeg de gummistok. Maar ik wou de eerste niet zijn – ik kon goed lopen – om het tempo niet aan te geven, maar de laatste wou ik natuurlijk ook niet zijn, want dan kreeg ík ze. Dus dan zorgde ik dat ik in het midden d'rin war.

WB: Heeft u de gevolgen van mishandeling gezien?
Nee, persoonlijk niet.

WB: Andere dingen ondervonden die niet goed waren?
Ja, zeker, vooral ook de verpleging [verzorging]. In Veenhuizen tweehonderd gram brood per dag. Ohne vet, ohne suiker, niets anders als een halve liter aardappelsoep avonds daartoe.

WB: Hoe was de medische verzorging?
Slecht. Medische verzorging hadden we in Veenhuizen helemaal niet. Die daar dood ging, die ging dood. Twee heb ik meegemaakt.

WB: Hoe ging dat?
Ja, de ene die werd ziek, die kreeg koorts, veertig graden koorts, die had difterie. Maar die bewaker zei dit war goed. Maar hij kon, het waren ook zijn voorschriften: 'Het spijt me, maar ik kan er niets aan doen.' Hij zei: 'Voor maandag komt hier geen dokter.' Ja, zondagmorgen of zondagnacht is hij dood gegaan.

WB: En het andere geval wat u noemt?
Die had een wond, een kleine wonde en daar ontstond bloedvergiftiging door. Die is ook niet medisch verzorgd worden, is ook gestorven.

WB: Dan kwam er geen dokter?
Nee, dan kwam er geen dokter.

WB: U bent uiteindelijk in de mijnen gegaan?
Ja.

WB: Hoe ging dat?
Ook in de mijnen is de eerste onval, slachtoffer, is gestorven aan lijfvergiftiging, ook wegen geen medische verzorging. Maar dan moet ik zeggen, toen hebben de mijnen zelf die verzorging van onvallen zelf in de hand genomen, en dan war ook alles goed.

WB: Wat werd u voor het Tribunaal verweten?
Hè?

WB: Het Tribunaal.
Van het Tribunaal weet ik eigenlijk niets van. Ik ben ja voor het Bijzonder Gerechtshof geweest.

WB: En wat zeiden die van u?
O, wat zeiden die? Dat ik lid van de NSB was, groepsleider was en propagandaleider van Drente. En of ik al zei: dat is niet zo, dat war ik niet, die hoorden daar helemaal niet op.

WB: Maar u heeft een hoop propaganda gemaakt.
Jazeker, maar niet in heel Drente. De propaganda maakte ik ja in Roden, in de gemeente.

WB: Maar had u een advocaat?
Ja. Nou, die het er ook niks van gemaakt. Ik ben toen nog in cassatie gegaan, ik kwam dan in de cellenbarakken [in Scheveningen]. Ik ben ook niet verhoord worden. Helemaal niet.

WB: Hoe was het leven in de cellenbarakken?
Och, dåt war geloof ik in '48, toen war het alweer niet zo slecht meer. Maar in de cellenbarakken daar leerde daar leerde ik dan ook Rauter kennen. Een kerel, een grote kerel van één meter negentig. Die moest apart gelucht worden tussen twee bewakers in.

WB: Mussert heeft daar ook gezeten, hè?
Ja, maar die heb ik niet gezien...

WB: Die was al dood?
Die was zeker al dood. Die heb ik niet gezien in gevangenschap. En dan nam ik, daar heb ik mijn cassatie ingetrokken.

WB: Waarom?
Ha, wel elk die in cassatie ging die kreeg er nog twee of drie jaar bij. Toen heb ik hem ingetrokken. Toen kwam ik in de strafgevangenis van Scheveningen. Ongeveer drie of vier weken. Maar dan had die mijn, die wolde gern die arbeiders weer haben. Da haben die er weer voor gezorgd dat ik daar weer heen kon.

WB: Dus een deel van uw straf verviel, of niet?
Nee, helemaal niet.

WB: U had acht jaar, dacht ik?
Negeneneenhalf. Maar das war hier zo, alle gevangenen, niemand had er eigenlijk voordeel... was met de politie in aanraking geweest oder war veroor-

deeld of zo, en dan geldt ja eenderde van de straf werd dan geschonken of zo. De voorwaardelijke vrijstelling noemen ze dat dan. Ja, ik kwam daar ook voorwaardelijk in vrijheid. En moest me daar melden bij de wethouder van Roden. Onder diens politieke toezicht [en reclassering] kwam ik. Ik heb me dan ook gemeld. En toen zei hij: 'Nou, je hoeft niet weer te kommen, jij behoeft geen toezicht. Dat is alles wat uit Den Haag komt of zo. Daar hebben we hier niets aan.' Ik ben er ook niet meer geweest, dat war ook niet nodig. Hij stond er ook niet op.

WB: Maar zeiden ze niet: daar heb je die landverrader?
Niemand heeft mij een landverrader genoemd. Ook het Bijzonder Gerechtshof niet. Ik heb geen land niet verraden, ik ben ook geen landverrader.

De Munck

WB: Tot hoeveel bent u veroordeeld na de oorlog?
Ja, toen ben ik natuurlijk eerst naar de Harskamp geweest, dat moordenaars- en uithongeringskamp. Nou, de eis was doodstraf. Door ene meneer Janssen. Hij is dood, God hebbe zijn ziel en houdt hem stevig vast. En door mr. van Haandel [prof.dr. G.A. van Hamel?], die was zeer onbevangen: hij had twee zoons in de oorlog verloren. En daar ben ik tot vijftien jaar veroordeeld. En bij de veroordeling ging dat aan de lopende band en iedereen die werd dat gezegd, en tegen mij zei hij speciaal: 'Hebt u dat begrepen.' En toen wilde ik zeggen: nou, edelachtbare, wie de macht heeft heeft het recht, en dat ik een duit onderuit de zak krijg dat is logisch. Maar dat u de veronderstelling eraan verbindt dat ik na vijftien jaar als eerwaardig burger in de maatschappij kan terugkeren... Ik kreeg niet eens de gelegenheid. Met een grijnslach zei hij: 'Dan hebt u voldoende tijd om erover na te denken.'

WB: Hoeveel jaar heeft u moeten zitten.
Nou, ik ben dus in cassatie gegaan en daar waren prof. [mr. G.E.] Langemeijer en prof. [dr. J.H.W.] Verzijl, voorzitter en dan nog twee die ik niet kende en de vice-admiraals Heeris en Vos. Dan heb ik zelf een verdediging gevoerd, ik heb dat niet laten verknoeien door een advocaat. En toen kreeg ik veertien dagen daarna acht jaar gevangenisstraf. Ik sprong wel een gat in de lucht, het leek wel of ik de 100 000 had gekregen.

WB: Hoeveel heeft u totaal gezeten?
Vierenhalf jaar, bijna.

Kinderen van NSB'ers lezen kranten en tijdschriften onder het motto: 'Laten ze zich geestelijk ontwikkelen'.

HOOFDSTUK III.

Arrestatie-regeling.

Inleiding.

1. Onderscheid moet worden gemaakt tusschen:
   I. de arrestatie (aanhouding en inbewaringstelling) van politiek verdachte elementen (N.S.B.-ers enz.);
   II. de arrestatie van personen die de krijgsverrichtingen in gevaar brengen of van wie vermoed wordt, dat zij deze zullen bemoeilijken, belemmeren of schaden (spionnen, saboteurs en dergelijken);
   III. de arrestatie van vijandelijke militairen (krijgsgevangenen).

2. De inbewaringstelling van politiek verdachte elementen is primair een *Nederlandsche* zaak, welker uitvoering geheel in handen van de Nederlandsche instanties (Militair Gezag) ligt.

De arrestatie van personen, die de krijgsverrichtingen schaden, is primair een *geallieerde* zaak, waarbij dan ook de verdachte personen zoo spoedig mogelijk aan de *geallieerde* security-instanties zullen moeten worden overgegeven.

De arrestatie van vijandelijke militairen is voorloopig eveneens primair een geallieerde zaak; de politiek verdachte elementen, die als vijandelijke militairen krijgsgevangen zijn gemaakt, zullen echter na het einde van den oorlog aan de Nederlandsche Regeering ter berechting worden overgegeven.

3. Met betrekking tot de maatregelen, welke door het Militair Gezag ten opzichte van politiek verdachte personen kunnen worden genomen, moet onderscheid worden gemaakt tusschen:

Passage uit een arrestatieregeling die kort na de bevrijding werd uitgevaardigd.

Het oorspronkelijke bijschrift bij deze foto luidde: 'Vader is gearresteerd door BS. Kind wordt echter niet onverzorgd achtergelaten.'

Mei 1945: NSB'ers geïnterneerd op de Levantkade te Amsterdam.

Een NSB'er wordt door BS'ers weggevoerd naar de gevangenis op de Amstelveenseweg te Amsterdam.

NSB'ers berecht.

NSB'ers aan de schandpaal.

11

Verdere levensloop

Na het uitzitten van hun straf keerden de leden van de NSB en de SS terug in de maatschappij. Zij moesten hun nederlaag en bestraffing verwerken en berusten in verlies van inkomen, vermogen, burgerrechten en sociale contacten. Allereerst moesten zij een woning vinden en zien dat ze weer aan de slag kwamen. De 'lichte' gevallen onder onze getuigen hebben voor zichzelf werk geschapen door zelfstandig ondernemer te worden. Dat zij niet zeer ontevreden zijn over de wijze waarop zij door de Nederlandse maatschappij zijn behandeld, is misschien terug te voeren op het onmiskenbare succes dat zij in hun naoorlogse zakelijke loopbaan hebben gekend.

Dit neemt niet weg dat zij hinder hebben ondervonden van hun politieke verleden en dat vaak nog ondervinden. Zo was het lange tijd voor de NSB'ers die hun Nederlandse nationaliteit hadden verloren en statenloos waren geworden, een probleem naar het buitenland te reizen. Voor de kinderen zal het bepaald moeilijk zijn geweest, dat hun vader als voormalig NSB'er bekend stond. Familieleden zullen leden van de voormalige NSB niet altijd met open armen hebben ontvangen, zeker als niet openlijk berouw werd getoond.

De sociale terugkeer van de 'zware' gevallen, de wapendragers die door de Bijzondere Gerechtshoven waren gevonnist, lijkt niet per definitie moeilijker te zijn verlopen dan die van de licht gestraften. In een milieu waar de NSB relatief succesvol was geweest, zoals dat van de Drentse getuige Van der Veen, kon het voorkomen dat het verleden vergeten en vergeven leek. Maar zelfs daar kon de status van politiek delinquent moeilijkheden opleveren in het privé-leven en kon op de bestraffing door de justitie een bestraffing door de omgeving volgen. De geharnaste Waffen-SS'er De Munck heeft behalve de statenloosheid geen bijzondere problemen gekend – of is het zijn trots die hem ervan weerhoudt een klaagzang aan te heffen? De andere twee wapendragers, Driessen en Van de Berg, schetsen hun naoorlogse problemen meer en detail. Driessen vertelt verhalen over het zoeken van werk en de telefonische pesterijen; de ander, wiens militaire collaboratie minder verregaand is geweest, voelt zich dermate getekend door zijn verleden dat hij contact met zijn kinderen afhoudt.

Geen van de getuigen geeft er blijk van ook na de oorlog nationaal-socialistisch gedachtengoed te hebben uitgedragen. Deze indruk is in overeenstemming met het door De Jong en Van Donselaar geconstateerde verschijnsel van politieke onthouding. Niet alleen gewone NSB'ers lieten zich na de oorlog niet meer over politiek uit, dit gold blijkbaar ook voor een aantal van onze getuigen, NSB'ers en SS'ers die tijdens de bezetting steeds radicaler hun overtuiging beleden en deze gewapenderhand wilden verdedigen. Ook zij hebben, om welke redenen dan ook, hun lesje geleerd en praten met anderen nauwelijks over de overtuiging die zij koesterden, en in een enkel geval misschien nog koesteren. Ook als zij dat niet meer doen, blijven de sporen van hun vroegere overtuiging zichtbaar.

GETUIGENISSEN

Kardoes

Al je iets gedaan hebt blijf je altijd... Eens dief is altijd een dief. Dus een NSB'er is altijd een NSB'er.

WB: Ook nu nog?
Zo ziet men toch NSB'ers. En ik moet je zeggen: op economisch gebied, op het gebied van staatsbestuur, van de maatschappij, inrichting van de maatschappij, ben ik nog steeds geen democraat. Ik ben niet bekeerd tot de democratie.

WB: Heeft u na de oorlog schade ondervonden, nadat u veroordeeld was en weer vrij gelaten bent? Hebt u onaangename ervaringen gehad op grond van het feit, dat u fout was?
Men heeft mij tegengewerkt toen ik mijn eigen zaak had. Op Nieuw-Guinea exporteerde ik zoals u weet, en ik kwam een paar keer naar Nieuw-Guinea en ik kreeg geen visum. Dus ik had een heleboel vriendjes die illegaal waren en die toevallig ook meester in de rechten waren, zo heb ik mijn visum voor Nieuw-Guinea gekregen. Anders had ik mijn zaak kunnen sluiten, maar verder niet. En ik heb later die winkels gehad en er waren een heleboel mensen die nooit een plaatje bij mij gekocht hebben. En zelfs mijn kinderen hebben er nog last van gehad.

WB: Hoezo?
Nou, ik heb een dochter die geboren is in 1950, toen ik dus al lang vrij was, toen de oorlog al lang voorbij was, en die in 1960, toen het meisje tien jaar was, lid wilde worden van de Gooische Hockeyclub en geweigerd is... en dat was die reden. Ik heb dus de voorzitter opgebeld en die wenste geen commentaar te geven, maar die liet doorschemeren: u begrijpt wel waarom. En diezelfde dochter hebben ze tien jaar later, toen ze getrouwd was, en dus een andere naam had, heeft men gevraagd of ze voor die hockeyclub misschien een cabaret zou willen schrijven, want dat kan die dochter van mij toevallig heel erg goed. En toen zei ze: 'Nou ja, dat weiger ik, ik kon niet eens lid worden van jullie club.' Toen zeiden ze: 'Dat hindert toch niet, je hebt nu toch een andere naam.' Wat voor haar juist een reden was om het juist daarom ook niet te doen.

Dus de verhalen van kinderen die hun ouders daarvoor hebben veracht, die zullen wel waar zijn, maar dat geldt niet in mijn geval, gelukkig.

WB: U bent er altijd voor uitgekomen tegenover uw kinderen.
Ja.

WB: Hoe was de reactie?
Nou, die kinderen hebben natuurlijk vanaf kleins af aan dat wel meegekregen

en ze zagen, ze hebben zich voor die politiek niet geïnteresseerd, neem ik aan. En zover ze er zelf geen last van gehad hebben, hebben ze dus, behalve dat geval, naar mijn smaak dus niet. Dat is voor mijn kinderen geen probleem geweest.

WB: U zegt daarnet, een scheidingslijn door de familie, nog steeds.
Ja, een scheidingslijn – misschien van beide kanten. Ik heb nooit de behoefte gehad als boeteling bij mijn familie terug te komen. Misschien dat dat de reden is.

WB: Maar misschien vinden ze dat arrogant.
Misschien wel. Dan wens ik mij die arrogantie te permitteren.

WB: Heeft u nooit spijt gehad?
Maatschappelijk gezien zeer zeker, het heeft me niet in de maatschappij verder geholpen. Op het verkeerde paard gewed, kun je wel zeggen. Maar het was voor mij geen weddenschap, het was indertijd een overtuiging.

WB: Ja, maar u bent dus eigenlijk na uw straf toch latent gestraft, al die jaren door.
Ja, maar dat is een begrijpelijk fenomeen en dat heb ik moeten ervaren zoals waarschijnlijk iedereen. En mensen die dus later ontkend hebben wat ze gedaan hebben en wat ze gedacht hebben, ik weet niet of die minder, dat blijft precies hetzelfde, ik bedoel...

WB: Maar het verlaat u nooit.
Helaas niet, nee... Ik hoef de krant maar op te pakken en ik lees die krant waarschijnlijk op een andere manier dan een ander.

WB: Voelt u zich nog steeds geïsoleerd, of niet meer?
Nee, niet in die mate, ik hoop dat dit programma daar niet verder bij toe zal dragen dat ik meer geïsoleerd wordt.

Zijlmaker

WB: Wat bent u geworden na de oorlog?
Na de oorlog ben ik economisch adviseur en belastingconsulent geworden.

WB: Heeft u daar nog een succes van kunnen maken?
Ja, ik ben dus in die jaren, heb ik een vrij behoorlijk inkomen kunnen verwerven, van ongeveer 20 000 gulden per jaar, dat was toen dus vrij behoorlijk.

WB: Maar heeft u geheim kunnen houden dat u NSB'er was?
Nee, dat was niet mogelijk, want iedereen wist... Ik was bovendien geassocieerd met iemand die kringleider van de NSB was geweest, jonkheer J.J. van der Does

in Arnhem, dus dit bureau dat stond algemeen bekend als een bureau dat gedreven werd door politieke delinquenten. Bovendien, wij kregen ook niet andere gevallen als politiek-delinquenten, die voor rechtsherstel en voor de Schade-enquête en allerlei mogelijke andere zaken zich tot ons wendden.

WB: *Heeft u het moeilijk gehad van mensen die na de oorlog u hebben lastig gevallen?*
Nou, dat is dus normaal gesproken... Wij waren dus altijd, de heer Van der Does en ik, wij waren erg gematigd, dus men heeft eigenlijk in deze functie heb ik altijd, ook zelfs van de autoriteiten, heb ik behoorlijk respect ontvangen.

WB: *Er zijn heel wat oud-NSB'ers die het geheim gehouden hebben uit angst voor de behandeling na de oorlog.*
Er zijn er zeker heel veel. Bovendien, men was nu eenmaal gediskwalificeerd, en dat is tot in deze jaren dat blijven voortduren.

De Munck

WB: *Wat voor leven heeft u gevoerd na de oorlog, heeft u weer een vak gekregen en rust?*
Nee, rust roest. Ik heb van alles gedaan, na de oorlog op kantoor gewerkt, ik ben automobielverkoper geweest. In het havenbedrijf heb ik gewerkt. En ten slotte ben ik tandtechnicus geworden. Dat wil zeggen op het gebied van prothesewerk, ik was te oud om goudwerk en dergelijke nog te leren. Ik heb me gespecialiseerd in prothesewerk.

WB: *U was statenloos, want u bent bij een vreemde krijgsmacht in dienst geweest. Hebt u weer een Nederlands paspoort?*
Nou ja, goed, dat was natuurlijk ten onrechte. Want in de wet, in artikel 5 van de Vreemdelingenwet, daar staan voorwaarden waarom je je nationaliteit verliest. 'Hij die zonder onze toestemming in vreemde staats- of krijgsdienst treedt' Ja, dan moet je in de gelegenheid zijn. In artikel 22 van de Grondwet staat: 'De regering kan onder geen enkele voorwaarde naar het buitenland worden verplaatst.' Hadden we dan een retourtje naar Londen of zo...

WB: *Of het recht of onrecht was laten we even in het midden, u bent uw paspoort kwijtgeraakt.*
Ja. En dan ben je niks meer. Tegenwoordig kun je twee of drie paspoorten hebben, dat is natuurlijk krankzinnigenwerk, dat kan alleen...

WB: *Ja, maar het gaat even over toen.*
Ja, het is zo, je kon je paspoort terugkrijgen en dat hing van je inkomen af. Ik heb gezegd, ze hebben me onrechtvaardig, in strijd met de wet mijn nationaliteit afgenomen. Er zal een tijd komen dat ze zeggen: we hebben ons vergist, we bieden onze verontschuldigingen aan. Dan moet ik het nog bekijken of ik het...

WB: Die dag is niet gekomen.
Wie vandaag de dag een Nederlands paspoort in zijn zak heeft, dan weet ik niet of die zo enthousiast moet zijn om het te aanvaarden.

WB: Dus u heeft geen Nederlands paspoort?
Het was dus lastig, je kreeg maar een paspoort wat drie jaar geldig was, was duurder dan een gewoon paspoort. Je moest voor elk land, ook voor Duitsland een visum hebben. En toen had ik een slecht jaar, ik was toen zelfstandig en toen kon ik het voor *f* 50,- krijgen en dat heb ik toen maar gedaan. Maar ik ben jarenlang statenloos geweest.

Van der Veen

WB: Toen u uiteindelijk werd vrijgelaten. Dan sta je op straat. Wat dan? Wat denk je dan?
Nou, ik kwam vrij op 14 oktober 1950, en de volgende dag was Zuidlaardermarkt. En ik ben sofort naar Zuidlaardermarkt gegaan, en links en rechts, allen die me kenden die klopten me op mijn schouder. En ze zeggen: 'O, Harmen ben jij er ook weer? Wat ze met jullie gedaan hebben dat is het grootste schandaal.' Dat zijn niet alleen oud-NSB'ers, maar er zaten velen ervan vast. Ik war lang niet de laatste. Maar andere mensen...

WB: Ja, maar nou nog even: wat dacht u toen u vrij kwam?
Nou, wat dacht ik toen ik vrij kwam? Mijn vader had zich inmiddels een paar koeien aangeschaft van het geld dat ik verdiend had, want hij had een hoge boete voor het Tribunaal gekregen, obwel hij niet lid van de NSB war. 'Maar u war dan Duits-vriendelijk,' zei dan die voorzitter van het Tribunaal. En dan zegt hij: 'Ja, en dat ben ik nog.'

WB: Ja, maar ik vraag het weer: ik vraag niet wat uw vader dacht, ik vraag wat ú dacht toen u vrij kwam.
Ja, boer worden weer. Das war immer mein... want ze wouden mich graag behouden in de mijnen. Ik had een heel best nummer, ik ben er bijna vier jaar geweest. Ja, ook tevreden in de arbeid. Maar ik ben er ook vier jaar tegen zin geweest.

WB: Toen u eenmaal vrij was, bent u op den duur in Duitsland terechtgekomen als boer. Dus dat bleef trekken, of niet?
Ja. Ook al, ik had hier een Duitse vrouw. Als ik weer vrij was, het eerste Hollandse of Nederlandse meisje dat ik vroeg of ik haar naar huis mocht brengen, durfde, die had grote bedenkingen. Zij zegt: 'Ach, je was NSB'er en je wordt er nog voor aangezien.' O, ik denk: wenn dat zo is, dan wil ik überhaupt geen Nederlands meisje meer halen, dan wil ik een Duitse vrouw hebben. Die

heb ik dan ook gekregen. Toen hebben we acht jaar in Holland gewoond, en ik moet zeggen mijn vrouw is daar buitengewoon goed empfangen. We konden buitengewoon goed met onze buren en zo [opschieten], ook eigenlijk in het hele dorp.

WB: Maar u bent gelukkiger geworden in Duitsland?
Ja, vooral financieel, wirtschaftlich. We hadden een kleine boerderij, en die mogelijkheid om die uit te breiden war toen ook niet gegeven. Zo ben ik hier naar Duitsland gegaan, heb mij daar beworben om een boerderij, ook verkregen. En het is ons hier buitengewoon goed gegaan van '63 bis dort '82.

Driessen

WB: Hoe is het u verder na de oorlog vergaan?
Nou, het was wel moeilijk, eerst natuurlijk een baan zoeken, dat ging betrekkelijk gauw, werd heel slecht betaald. Meteen nadat ik thuis was gekomen was er een baby op komst en ik kreeg nog naweeën van mijn gevangenschap. Ik kreeg tbc, had ik al in het kamp gehad, kreeg ik nu weer. En... de moeilijkheid was ook, bijvoorbeeld bij het vinden van een baan, dat je een arbeidsvergunning moest hebben als statenloze. De Nederlandse nationaliteit was ons na de oorlog ontnomen, dus je had geen been om op te staan, want steeds kwam dat verleden ter sprake. Ik heb wel bij vroegere NSB'ers een baan gevonden. En dat werd allengs beter.

WB: Is er nog een geheime organisatie?
Geheime organisatie geloof ik niet nee. Er is wel eens een man geweest in een boulevardblad las ik, die het over de geheime leiding van de NSB had gehad, die man was zeventig of tachtig jaar, dus dat had niet veel om het lijf. Er zijn natuurlijk wel pogingen geweest om mensen bij elkaar te brengen en op grond van sociale overwegingen. Er zijn natuurlijk oorlogsgewonden, dat was een ontzettend probleem voor die mensen. Mensen die een been misten, armen missen, die blind zijn, en er werd getracht om die te ondersteunen. Uit de maatschappij kregen ze geen ondersteuning, integendeel. Als iemand bijvoorbeeld een deel van zijn arm had verloren dan kreeg je geen ondersteuning, want dat had je gekregen bij het uitoefenen van een misdaad, namelijk een misdrijf door in de SS te zijn. En daar is wel geprobeerd om in te voorzien op de een of andere manier.

WB: Komt u nog bij andere NSB'ers of SS'ers?
Nee, ik heb heel weinig contacten in dat opzicht. Ik kom nog wel in aanraking met mensen uit Vlaanderen, daar heb ik altijd nog heel grote belangstelling voor. Voor de groot-Nederlandse gedachte, maar dat manifesteert zich toch ook in heel andere verbanden dan we ons vroeger hadden voorgesteld. De Benelux, dat

zou je als een verwerkelijking kunnen zien, maar dat heeft minder met de geest te maken dan met economische overwegingen.

WB: U heeft altijd geheim gehouden na de oorlog dat u nationaal-socialist was, althans, er niet mee te koop gelopen. Heeft u onaangename reacties gehad?
Ik heb wel onaangename reacties gehad. Geheimhouden dat is... Ik heb er niet uitdrukking aan gegeven op de een of andere manier, maar geheimhouden... Als iemand dat te weten kwam dan zei ik: 'Je hebt gelijk, ik was lid van de NSB, ik ben nationaal-socialist geweest.' En ja, er zijn wel onaangenaamheden geweest, dat er over werd geroddeld door andere mensen, dat bijvoorbeeld de baas van mijn vrouw, een professor, dat die werd opgebeld met de mededeling dat zij Jeugdstormster was geweest en ik NSB'er. Die man die vroeg: 'Wat heeft dat ermee te maken?' 'Nou, u moet weten wie u in huis hebt gehaald.' Dat soort dingen. Ik word ook nog wel eens opgebeld: 'Hé SS-man, we houden je altijd nog in de gaten.' Dat soort dingen gebeurt ook.

Van de Berg

WB: U moet er altijd aan denken.
Eh, ja, maar dat komt ook, doordat de pers, de radio, de televisie, ze houden je wel wakker.

WB: Ja, maar zelfs als dat niet zo was.
Nou, dan weet ik het niet, dan weet ik niet of het zo zou blijven leven. Maar door dat ophalen, ophalen... En was het nou maar eerlijk, maar wij worden nog altijd in de diepste goten getrapt. En die kennis die ik dan heb die heb ik het eerlijk laten weten, zodat ze het niet van de buitenwereld te weten komt, achterom. Maar de deuren zijn dicht, en dat ken ik niet... En...

WB: Uw kinderen willen u niet meer zien.
Nee, dat is... Mijn kinderen, die zouden me wel willen zien, niet om de politiek, want die heb ik pas sinds een half jaar of een jaar weten ze dat pas. Nou, maar dat zien gaat meer van mijn kant uit, omdat als ze mij wel eens zien, dan zou ik moeten vertellen wat zij en hij hebben misdaan en dat wil ik ze niet vertellen. Want dan, als het goed verstaan, dan zouden ze daar weg moeten lopen, en aangezien ze daar nog leven, daar hebben leren leven, heb ik zelf ze gevraagd: 'Jongens, neem afstand van me, houdt afstand. Want het is in jullie belang, niet in mijn belang,' want dat doet pijn.

12
Terugblik

Wim Bosboom heeft de getuigen ook gevraagd naar een persoonlijke terugblik op hun leven, dat het NSB- of SS-lidmaatschap als Kaïnsteken draagt. Dat zij dit merkteken met zich meedragen, weten zij maar al te goed. Het bezorgde hun in hun leven allerlei moeilijkheden, waaraan zij met verbittering dan wel met berusting terugdenken.

Het valt onze getuigen moeilijk te erkennen dat zij een onjuiste keuze hebben gedaan toen zij lid werden van de NSB. De getuigen verdedigen hun voorkeur voor de NSB oprecht. Zij zeggen dat zij niet anders konden handelen dan ze deden. In één of misschien twee gevallen wordt wellicht impliciet te verstaan gegeven dat deze keuze achteraf verkeerd was. Ook dan trachten de getuigen zich begrijpelijkerwijs te rechtvaardigen. Dit doen zij door het door hen beleden ideaal geheel te scheiden van de moorddadige praktijk van het Duitse nationaal-socialisme. In deze samenhang verwijzen zij ook naar de misdaden van de 'anderen', van de Amerikanen, de Russen, of de Israëli's. Door aan de hand van deze voorbeelden het onderscheid tussen ideaal en praktijk te verdedigen, proberen zij ook hun idealen te redden.

Een van de zes getuigen gaat er prat op dat hij nog steeds nationaal-socialist is. Bij een ander valt een dergelijke erkenning misschien wel op te maken uit zijn overigens nogal onsamenhangende uitlatingen, maar dat is dan ook de getuige, voor wie de genoemde scheiding tussen het NSB-ideaal, zoals Mussert dat volgens hem belichaamde, en de massamoorden van het nationaal-socialistische Duitsland een dogma is. De anderen drukken zich genuanceerder uit; maar niemand komt tot de erkenning dat de gruwelen van indertijd verankerd lagen in de toen door hen beleden ideologie. Driessen, die iets van die gruwelen met eigen ogen heeft gezien, komt er nog het dichtst bij.

Belangstelling voor neo-nazistische bewegingen ontkennen de getuigen in alle toonaarden. Naar onze indruk spreken zij de waarheid, hoewel wat betreft de getuige die zichzelf als nationaal-socialist afficheert, twijfel op zijn plaats lijkt. Deze structurele politieke onthouding kan verschillende oorzaken hebben. Een ervan kan men omschrijven als externe pressie. Blijkbaar hebben onze getuigen zich niet willen begeven in bij de wet strafbare politieke avonturen. Dit kan men zien als een door justitie uitdrukkelijk nagestreefd resultaat, als een blijk van geslaagde reclassering (die er is geweest, maar de getuigen zeggen er niets over), dan wel als het onvermijdelijke gevolg van sociale controle. Naar onze mening is echter een andere oorzaak belangrijker, namelijk een innerlijke ontwikkeling, waarbij complexe overwegingen en motivaties meespelen, die ook de getuigen niet helder voor ogen staan. Van de mislukking van hun ideaal zijn de getuigen zich in ieder geval wel helder bewust; dit feit alleen al brengt een zekere distantiëring teweeg.

Drie getuigen verklaren uitdrukkelijk dat zij het nationaal-socialisme verleden tijd achten. Maar daar blijft het niet bij. De meeste getuigen hebben zich uiteraard niet geheel kunnen onttrekken aan de algemene ontwikkelingen in het politiek-ideologisch denken in Nederland. Zij lijken schoorvoetend ook de democratische basisconsensus van het naoorlogse Nederland te aanvaarden en zelfs te delen. Twee getuigen zijn hierbij expliciet. Kardoes zegt weliswaar nog steeds geen overtuigd democraat te zijn en geïmponeerd te blijven door leidersfiguren, maar bij verkiezingen brengt hij wel zijn stem uit. Op welke partij zegt hij niet, maar niet op Janmaat. Driessen kritiseert het leidersbeginsel en is blij dat zijn kinderen afkerig zijn van het nazisme. Bij de gedachte aan een reprise van die beweging zegt hij te huiveren.

Het feit blijft dat niemand onder de getuigen het gewelddadige karakter van de nationaal-socialistische ideologie aan de kaak stelt of met zoveel woorden zijn principiële medeschuld, hoe gering misschien ook, aan de nationaal-socialistische praktijk belijdt. Dit gebrek aan 'berouw' moge voor velen ergerlijk zijn, maar is niet onverklaarbaar. De getuigenissen in dit boek zijn doortrokken van zelfrechtvaardiging, rationalisatie van (verborgen) schuldgevoelens en een fixatie op het verleden. Dit is niet verwonderlijk; het zijn kenmerken van menige terugblik op het eigen leven. Bij onze getuigen dringen deze verschijnselen zich echter wel zeer op de voorgrond. Hieraan zal de naoorlogse juridische en sociale bestraffing van hun 'foute' keuzes niet vreemd zijn. Men neme deze fragmenten voor wat ze zijn: getuigenissen, die misschien een bescheiden bijdrage kunnen leveren aan een antwoord op de vraag, hoe tamelijk alledaagse mensen 'fout' werden.

GETUIGENISSEN

De Munck

WB: Als u nu terugkijkt hè, op uw leven, zegt u dan: ik had het eigenlijk een beetje anders moeten doen?
Nee. Je ne regrette rien. Ik heb nergens spijt van. Want wij spreken over een tijd waarin ik mij omringd voelde met de meest trouwe, de meest offervaardige, de meest kameraadschappelijke, de meest eerzame mensen die ik ooit in mijn leven heb ontmoet.

WB: U bent dus nog steeds nationaal-socialist.
Ja, vanzelfsprekend. Ik wil daar ogenblik afstand van doen, maar dat kan toch niet. De weg is toch geblokkeerd. Den Uyl heeft gezegd: 'NSB'ers die hun straf hebben uitgezeten die kunnen lid van de PVDA worden, maar ze zullen nooit een leidinggevende functie mogen bekleden.' Over discriminatie gesproken. Bovendien is het zo: ik wil rustig van mening veranderen, want alleen idioten en lijken veranderen nooit van mening, maar dan moet het wel een betere zijn.

WB: En u voelt zich nog steeds nationaal-socialist.
Zeker, in de beste zin van het woord.

WB: Dank u wel.

Kardoes

WB: Vindt u dat u, als u nou helemaal terug kijkt op alles, de scheidingslijn in de familie, de oorlog, alles wat u heeft moeten meemaken, de kampen... Was het de moeite waard?
Ik heb het toen de moeite waard gevonden... Ik heb het toen de moeite waard gevonden.

WB: Maar nu?
Ik geloof, iemand die als hij jong is in die tijd geleefd heeft en niet geïmponeerd is geweest van wat er gebeurde toen, met name de opkomst van Hitler en het ontstaan van het fascisme in Italië, en die daar niet door geïmponeerd is geweest, vond ik mensen die misschien alleen geïmponeerd waren geweest in Ajax-Feyenoord. En ik behoorde tot een andere groep.

WB: Maar vind u dat u een te groot offer hebt moeten brengen?
Ik heb dat opofferen indertijd bewust gebracht. Ik wist toen al dat het een offer was, niet dat we die oorlog zouden verliezen. Maar in plaats van te gaan zeilen op Loosdrecht – ik had een boot daar – met *Volk en Vaderland* langs de straat

te gaan staan is nu niet direct leuk. En als je dat als een offer noemt dan heb ik dergelijke offers graag gebracht.

WB: Maar uw hele leven is een reeks van offers, kleintjes, grote.
Ja, daar ben ik zelf schuld aan, ja. En dat heeft geen zin om daar achteraf mee in te zitten.

WB: Als u weer terug kijkt, had u het net zo gedaan?
Kijk, ik ben geen aanhanger van Janmaat als u begrijpt wat ik bedoel, dus nu zie ik het iets anders. Misschien is dat antwoord voldoende. Hoewel ik nog steeds geen overtuigd democraat ben. Omdat ik nog steeds moeite heb met de verkiezingen, op welke partij ik moet stemmen. Want ik stem natuurlijk wel.

WB: Ik bedoel, u kijkt terug op uw leven, denkt u dan: dit was een mislukt bestaan?
Ja, maatschappelijk zonder meer mislukt bestaan en als Nederlander waarschijnlijk ook. Omdat ik voor dit volk idealen vertegenwoordigde die niet waarschijnlijk bij dit volk passen... Dus ik zie mij als Nederlander als buitenbeentje.

WB: Als u het over moest doen, hoe deed u het dan?
Waarschijnlijk net zo. Niet nu, maar als ik het over zou moeten doen, dan moet ik dus weer jong zijn en waarschijnlijk, ondanks al die ervaringen, misschien toch weer. Ik blijf geïmponeerd zijn door leidersfiguren. Dat is misschien een antwoord daarop. Ik blijf geïmponeerd zijn door leidersfiguren, van welke categorie ook.

WB: Maar kunt u mij één leider geven die zijn mensen naar een gelukkiger wereld heeft gevoerd, één dictator?
Dat is een moeilijke vraag, omdat het woord 'dictator' hier dus al in een negatieve betekenis komt. Maar ik dacht dat er niet zoveel Egyptenaren waren die Nasser iets kwalijk nemen. Noch dat er zoveel Joegoslaven zijn, die Tito iets kwalijk nemen, om een paar niet-democraten te noemen. En nou wil ik het niet over meneer Pinochet hebben en over de Griekse kolonels of generaal Franco. En ik wil niet dat soort systemen ineens hier hebben, omdat ik al daarnet zei, ik geloof dat dat soort systemen voor het Nederlandse volk niet passen. En wij zullen het op een andere manier moeten doen. En de manier waarop we het doen, dat zien we dagelijks gebeuren.

Zijlmaker

WB: U heeft nooit spijt gehad?
Ik heb nooit spijt gehad. Want zelfs in deze tijd, zien we op het moment ook wanneer men alleen maar de kwestie in Joegoslavië neemt. Hoe daar dus de natuurlijke orde die de volkeren vrij wil maken, strijdt tegen de natuurlijke orde

die de mens wil robottiseren en de mens wil criminaliseren zoals hier in Nederland gebeurd is...

WB: *Ja, maar als u terugkijkt op uw leven, zegt u dan: nou, ik had het misschien toch anders moeten doen?*
Ja, men is in een zekere zin gevangene van de tijd waarin men leeft. Maar wanneer men werkelijk wijs is, dan moet men zich bepalen tot hetgene wat het eigen innerlijk zegt. Dus alles komt terug op de spreuk van de oude Grieken: 'Gnoti seauton', 'ken uzelve'. En ik zou dus iedereen aanraden, die dus op een gegeven ogenblik een bepaalde levensvisie uitdraagt, om dus in de eerste plaats zichzelf te raadplegen en na te gaan aan welke kant men staan moet.

WB: *Heeft u dat zichzelf gevraagd?*
Mijn hele leven ben ik nooit gedwongen geweest om met de mening die ik al in mijn prille kindertijd had, om die te wijzigen.

Van der Veen

WB: *Als u terugkijkt op alles, wat denkt u dan?*
Ja, als ik terug kijk op alles, Duitsland die wou ook alle vrijheid voor Europa. Nu hebben we ook een vrijheid in Europa, dat is goed. Democratie, meen ik, is ook goed. Maar dan moet de democratie gans anders worden als het nu is. Niet Amerika als voorbeeld stellen, want in Amerika is dat slimste geweld. Het slimste land van geweld. Dat is al tweehonderd jaar zo. De eerste immigranten die hebben domweg met geweld alles bereikt. En dat bereiken ze nou ook nu nog. Dan heb je het over Kriegsverbrecher, oorlogsmisdadigers. President Bush die heeft in Panama duizend personen met bommen en zo wat gedood om één man in handen te krijgen. En alle, alle zijn ze daar met ingenomen. President Bush, ja, haalt nog een beetje de godsdienst aan, misbruikt die.

WB: *Ja, maar u heeft toch voor uw overtuiging zware offers moeten brengen? En is het dat dan waard geweest, want er is niets van terechtgekomen?*
Nee. Ik heb ja offers gebracht. Ik heb me ingezet, voor het volk. Ik wou dat het hele volk het beter zou hebben als het toen was. Daar kan ik geen spijt van hebben. Heb ik ook geen spijt van. En ik geloof als, dit is natuurlijk jetzt allemaal voorbij, je kunt nu licht zeggen: ik deed het weer zo. Maar wat geweest is komt ja niet weer terug. Dat is utopie. Alleen dit vind ik nog wel, eigenlijk moest dat eens uit zijn, ik wou... Bis heden ben ik nog gestraft.

WB: *Komt het nationaal-socialisme ooit nog terug? Heeft het nog een kans?*
Nee, helemaal niet. In die vorm die het geweest is helemaal niet. Dat is voorbij, dat komt ook niet weer. Er mag [kan] wel wat anders komen.

WB: Maar je hoort toch van neo-nazi's?
Ja, wat zijn dat, die neo-nazi's? Dat zijn toch niets anders dan rowdies die alles kapot slaan. Daar moesten ze veel strenger tegen optreden. Veel strenger. In mijn ogen zijn dat ook geen neo-nazi's, dat zijn vernielzuchtigen, die alles kapot maken. En wat schieten we daarmee op?

WB: U zit nu in Duitsland, al heel wat jaren.
Ja.

WB: Heeft u nu gelukkigere jaren gehad dan vroeger?
Ja, we hebben hier zeer gelukkige jaren gehad, mijn vrouw ook. Eén zware ramp is ons overkomen, ik heb mijn oudste jongen verloren met zeventien jaar, en dat was natuurlijk een slag, die men eigenlijk niet meer te boven komt.

WB: Maar politiek is het nu voor u voorbij?
Ja, nee, in zoverre, ik luister zeer veel naar Fernsehen, maar actieve politiek is voor mij voorbij. Ik kan ook niet begrijpen in Duitsland, vooral de SPD, die zet zich daar zoveel in voor het Wahlrecht [kiesrecht] van Ausländer. Ik wil het Wahlrecht helemaal niet. Wenn ik, ik zeg mij dan zo: wenn ik daadwerkelijk graag wil, dan kan ik ja Duitser worden. Dan heb ik die automatisch. En als ik geen Duitser ben dan zal ik ook niet meer stemmen, wie [zoals] dat dorp bij de Wadden... Ze menen dan Wahlrecht voor gemeenteraad en zo wat, hè?

WB: Maar die stap Duitser te worden, ondanks het bezwaar tegen wat er in Nederland gebeurd is, die heeft u niet genomen?
Nee, ondanks alles, ik voel mij Nederlander. En ik ben in zekere zin ook trots Nederlander te zijn, ondanks alles wat eigenlijk de Nederlandse Staat mij en vele anderen aangedaan heeft. Want het is hier alles in afspraak met de Nederlandse Staat... arrestaties en vastzetten van vrouwen en kinderen.

Van de Berg

WB: Maar u bent het met me eens dat er in naam van het socialisme geweldige misdrijven zijn gepleegd? Ik heb het niet over anderen, maar even over het nationaal-socialisme. U stond aan die kant, of u wilde of niet.
Dat klinkt natuurlijk heel aardig. Maar het is natuurlijk vreselijk triest en net zo ik zeg dat je dan gedeeltelijk, altijd gedeeltelijk aan die kant, want aan die kant kan ik nooit gestaan hebben. Dan zou mijn moeder en mijn grootouders, die mij hebben opgevoed moeten verloochenen want ik was een Nederlander, een christelijk Nederlander. Een socialistisch Nederlander. En van die smerigheid alsjeblieft. En als ik het nou mag zeggen... zou u het prettig vinden als u verantwoordelijk werd gesteld voor wat Stalin gedaan heeft? U hoeft geen antwoord te geven, dat mag niet, geef geen antwoord, maar denk er alsjeblieft

over na. 'k Heb naar een kennis van mij ook geschreven, die de deur voor me gesloten heeft nu ik de kaart op tafel heb gelegd, heb ik geschreven: 'Oké, dat ik beschuldigd wordt van de Duitse moorden, oké, maar is het dan niet eerlijker dat jullie dan beschuldigd worden van de moorden van Stalin? Want dat was jullie bondgenoot. Hitler mijn bondgenoot, Stalin jullie bondgenoot. Denk dan na wat er in Polen, in Hongarije, Joegoslavië, in al die communistische landen heeft plaatsgehad aan moorden.'

WB: Ja, maar ik kan me voorstellen dat communisten, Nederlandse communisten, daar enorm veel spijt van hebben gehad dat ze die kant hebben gekozen.
Nou goed, maar ik heb... als zij spijt... dan moeten zij, dan zien ze het toch fout.

WB: Maar als u nu, u kijkt terug op uw leven, dan kan het niet zo zijn: Van de Berg, wat heb je het goed gedaan.
Ik zeg honderd procent en ik zou diezelfde weg, nationaal-socialisme, diezelfde weg weer handelen, behalve dan dat geval van de joodse mensen, maar dan moet je niet alles weten, wat er met de joden... Als je het van tevoren, ja, dan loop je anders...

WB: Ja, maar er zijn er ook, laten we zeggen de concentratiekampen – en dan praten we even niet over de kampen waar u zat, of die de Engelsen hadden in Zuid-Afrika –, de Duitse concentratiekampen waar honderdduizenden tegenstanders zomaar vermoord werden.
Ja, maar hoe wist ik dat.

WB: Nee, maar het gebeurde. Dus het nationaal-socialisme had iets zeer gewelddadigs in zich.
Nee, dat is geen nationaal-socialisme, hoe kan dat nou, dat kan toch geen socialisme zijn... moord. Want een goed christen moet een socialist zijn, een goed christen, maar hoe kun je nou moorden goed praten.

WB: Ja maar wat was het dan?
Wat het dan was, ja, dat moet u aan de moffen vragen, maar dat kan ik toch niet weten. Wat ze daar doen.

WB: Nee, maar wat was er dan mis in het nationaal-socialisme, dat dat kon.
Dat weet ik niet, met het nationaal-socialisme van Mussert was niks mis. Maar er was volgens mij... Als dat het nationaal-socialisme zo zou zijn, ja, dan moesten ze me een kogel door de kop schieten. Als dat het nationaal-socialisme... Maar dat nationaal-socialisme, dat aanvaard ik niet. Onder geen enkel beding aanvaard ik dat als nationaal-socialisme.

Een nationaal-socialist is doodgewoon een Duitser of een Nederlander die, ik zeg dan, nationaal als Nederlander, dus ik ben Nederlands socialist. En als die

Duitser ook zegt: ik ben nationaal-socialist, en hij wil dan moorden... Dat de Duitse jongens zich gedwongen... Nou ja, dat kan je ook niet helpen. Maar u mag ook en dat moet ik u eerlijk zeggen, net zo min als alle joden, de moorden in Israël goedkeuren. Want ik hoorde nou weer op de tv net, dat er een geheime brigade is die Palestijnen vermoorden, in Palestijns uniform.

WB: *Ja, dat is onrecht, maar het ene onrecht maakt het andere niet goed.*
Ja, maar wij hebben het niet gedaan. Dat hebben wij niet gedaan.

WB: *Heeft u nou na de oorlog rust kunnen vinden?*
Nou, echte rust, nee... vind je geen dag.

WB: *U gaat iedere minuut van de dag...*
Omdat je altijd... als een soort huichelaar liep je rond.

WB: *U moet er altijd aan denken.*
Eh, ja, maar dat komt ook, doordat de pers, de radio, de televisie, ze houden je wel wakker.

Driessen

WB: *Heeft u, als u terug kijkt op uw leven, spijt, of had u het anders gedaan?*
Ik neem wel aan dat ik het anders had gedaan. Het heeft mij wel gevormd, die tijd, als jongen, als mens, en het heeft mij altijd ertoe gebracht om te proberen het eigenbelang ondergeschikt te maken aan het belang van ons land, van de gemeenschap waartoe je behoort. En in dat opzicht, daar kan ik natuurlijk geen spijt voor hebben. Dat die ontwikkeling heeft plaatsgevonden zoals die heeft plaatsgevonden en dat is echt niet alleen omdat de oorlog verloren is. Er werd na de oorlog wel eens gezegd: 'Je hebt op het verkeerde paard gewed.' Nou, het is nooit een weddenschap geweest, het is altijd geweest: de oprechte wil om ons volk en ons land te dienen. Ook al die mensen die naar het oostfront zijn gegaan en daar zijn gesneuveld en daardoor mogelijk hebben gemaakt dat de Russen nooit tot hier hebben kunnen doorstoten, tot aan de Noordzee.

WB: *Maar u bent nu ouder geworden en er is niks van terechtgekomen.*
Ja, het is zo, als de Duitsers zouden hebben gewonnen zou ik het waarschijnlijk niet overleefd hebben. Want ik ben toch altijd iemand die in conflict komt op de een of andere manier.

WB: *Ja, u bent lastig, hè?*
Misschien is dat zo, dat weet ik verder niet, maar als ik zo terugkijk, de conflicten die ik met andere mensen steeds gehad heb. Juist op het geestelijk gebied dan... Maar goed als jij ergens voor staat en je ziet dat dat in strijd is met wat beweerd

wordt, dat de zaak eigenlijk belogen, voorgelogen wordt, om het woord belazerd niet te noemen, dan kom ik daartegen in opstand.

WB: *Ja, maar u zit nu thuis en u denkt na over vroeger, het verlaat u nooit, neem ik aan. Wat ik net al zei, het is gewoon niet gegaan, niet gelukt, het is verknoeid en noem maar op. Is dat niet vreselijk dan?*
Dat is vervelend ja, vervelend is zwak uitgedrukt. Maar aan de andere kant is het zo, je komt met andere samenlevingsverbanden in aanraking en je ziet dat het overal hetzelfde is. Het zit ingebakken in de menselijke geest, in de menselijke natuur om te streven naar iets en om je dan toch altijd te moeten neerleggen bij dat het misloopt, dat het niet is wat je ervan voorgesteld hebt. En er zijn natuurlijk ook bepaalde dingen die volkomen irreëel zijn. Bijvoorbeeld het leidersprincipe, wat een van de belangrijkste dingen was in het nationaal-socialisme en in het fascisme. Dat is in de praktijk niet juist, onbereikbaar, want die leider zal altijd macht krijgen en macht, dat corrumpeert, iedereen.

WB: *Je hoort van neo-nazi's, dat het nationaal-socialisme nog levenskracht heeft.*
Nee, dat geloof ik niet. Het nationaal-socialisme, dat is de tijd geweest na de eerste wereldoorlog tot aan het eind van de tweede wereldoorlog. Dat was een reactie wat de Duitsers betreft op het verlies, dat op Versailles uitliep. Dat was ook de communistische opstanden die je in 1918 ook in Duitsland heb gehad, in Berlijn, in München, en dat is daar een reactie op geweest.

WB: *Ja, er is toch weinig van uw idealen terechtgekomen.*
Dat is waar. Idealen. Je moet het zo zien, als je een veertienjarige jongen bent dan geloof je in idealen. Dan zijn er mensen, die houden je allerlei dingen voor en dat neem je aan. Je hebt nog geen kritisch vermogen. En als je een kritisch vermogen hebt dan is het vaak op een verkeerde manier. En het leven, dat heeft iedereen, brengt je in aanraking met dingen die je nooit hebt gedacht. En dat is met het nationaal-socialisme heel sterk geweest, vooral omdat dat zo totaal beslag op de mens legde en op een heleboel jongeren natuurlijk.

Ik ben heel erg blij dat mijn kinderen niet de minste belangstelling voor het nationaal-socialisme hebben. Dat ze afkerig daarvan zijn. Ik moet niet daaraan denken dat ze nog eens opnieuw zouden willen beginnen met dit soort dingen.

WB: *Laat het u ooit wel eens los?*
Nee, het houdt me altijd bezig. En dat is vreemd, want als jongen van veertien jaar tot '45, dus dat is zo'n twaalf jaar geweest denk ik, ben je erbij betrokken geweest en dan heb je nog een heel leven gehad en toch houdt het je altijd bezig. Dat is heel erg vreemd vind ik.

WB: *Het heeft bezit van uw geest genomen.*
Nou nee, er zijn gelukkig andere dingen, waar ik me ook mee bezig houd en ik

heb natuurlijk het ongelofelijke voordeel gehad dat wij pas getrouwd waren tegen het eind van de oorlog, dat we geen kinderen hadden en dat pas onze kinderen zijn gekomen na mijn vrijlating. En dan heb je wel wat andere problemen aan je hoofd dan voor een beter Nederland te vechten.

WB: Droomt u er wel eens van?

Nou, nachtmerries. Mijn vrouw heeft het veel sterker. Die wil ook nooit op de tv naar oorlogsfilms en zo kijken. En ik kijk ook nooit naar oorlogsfilms omdat ik een afkeer heb van de oorlog, op grond van mijn ervaring. Dat had ik voor die tijd toch ook wel. Maar als het over de NSB gaat en mijn vrouw is bijvoorbeeld naar bed, dan kijk ik wel naar de ontwikkeling van het nationaal-socialisme, omdat dat als zodanig los staat van de oorlog. Behalve dan natuurlijk in de oorlogstijd, maar dat heeft niks te maken met alle ellendes die er hebben plaatsgevonden.

13

De Leider en de volgelingen. Een korte politieke geschiedenis van de NSB

I. Opkomst en isolement (1931-1940)

Na de eerste wereldoorlog werden overal in Europa mensen ontvankelijk voor antidemocratische gedachten. Velen zochten hun toevlucht tot extremistisch links. Een andere groep keerde zich bewust van de gelijkheidsgedachte af en wenste een organische, hiërarchische samenleving. Zij wilden een nationale volksgemeenschap zonder klassenstrijd waarin mannen met leiderscapaciteiten de hun toekomende plaats zouden innemen en waarin de massa deze nieuwe elite uit volle overtuiging zou volgen. De kern van de antidemocratische ideologie was het verlangen naar een hechte band tussen leiders en volgelingen, een mystieke eenheid tussen Leider en getrouwen die in een roes werd beleefd.

De eerste politieke beweging van dit nieuwe type was het Italiaanse fascisme. In 1922 marcheerden de fascisten van Benito Mussolini op naar Rome; de Leider of Duce van deze fascisten werd daarop door de koning tot minister-president van Italië benoemd. Het hoofd van de oude, erfelijke elite sanctioneerde de nieuwe, uit het volk voortgekomen leider. Dat was typerend. De Duce wilde de oude maatschappij niet vernietigen. Hij wilde zich ermee verbinden en haar gaandeweg overheersen en transformeren tot een nieuwe samenleving.

Al betekende het nieuwe regime in wezen geen breuk met het bestaande, de uiterlijke vorm waarin het zich presenteerde, was die van een Nieuwe Orde: een moderne, gesmeerd lopende, nationale samenleving onder een krachtige leiding, die alleen had kunnen ontstaan dank zij het leidersprincipe. Leiding en eenheid hadden, zo was de suggestie, een nieuw Italië geschapen. Een moderne staat zonder bedelaars in de straten, waar de treinen op tijd reden, en moderne autowegen werden aangelegd. De monumentale, zelfs kolossale gebouwen moesten de krachtige geest van het nieuwe Italië tot uitdrukking brengen. En overal de Leider, de Duce. Een zelfde dynamiek en verjonging leek behalve de nieuwe, rechtse samenlevingen eveneens de nieuwe, linkse Sovjet-Unie te beheersen. Ook daar ontstond na de dood van Lenin een leiderscultus en veranderde het aanzien van het land.

Het leek alsof de westerse kapitalistische democratieën niets meer te bieden hadden, niet materieel en niet in daadkracht, overtuiging en bezieling. De grote crisis, ingeluid door de beurskrach van Wall Street in 1929, scheen deze indruk te bevestigen. De partijen die kapitalisme en democratie radicaal afwezen, trokken steeds meer aanhang. Dit was overal het geval. Het meest groeiden de fascistische bewegingen van midden-Europa en speciaal die in Duitsland.

Na de nederlaag van 1918 was het keizerlijke Duitsland in elkaar gestort en vervangen door een republiek die voornamelijk op liberalen en sociaal-democraten steunde. Niet alleen was het ontstaan van de republiek chaotisch verlopen, zij had in 1919 het harde vredesverdrag van Versailles moeten aanvaarden. 'Versailles' was voor vele Duitsers synoniem met nederlaag en vernedering; het verdrag en daarmee de republiek die het ondertekend had, werden verantwoordelijk gesteld voor alle naoorlogse ellende.

Een kleine rechts-extremistische partij, de NSDAP onder leiding van de oud-frontsoldaat Adolf Hitler, had getracht hier munt uit te slaan. In samenwerking met andere extreem-rechtse groeperingen was er in 1923 in München zelfs een poging tot een staatsgreep gedaan. Dat leverde toen de aanstichters alleen (een lichte) gevangenisstraf op. Pas de grote crisis en de massale werkeloosheid die in het begin van de jaren '30 Europa teisterden, deden een klimaat ontstaan waarin grote groepen kiezers zich tot de extreme partijen wendden. Deze radicalisering in een toch al instabiel politiek systeem leidde er toe, dat Hitler in januari 1933 tot Rijkskanselier kon worden benoemd.

Evenals in Italië boekte het nieuwe regime successen die in de eerste plaats de buitenkant van de samenleving betroffen: grote projecten zoals de aanleg van Autobahnen werden aangevangen. Mede daardoor en dank zij de herbewapening kon de werkeloosheid in korte tijd goeddeels worden bedwongen. Nog belangrijker was de sfeer van onwankelbaar vertrouwen in een schitterende toekomst die het nieuwe Duitsland scheen te ademen. Een gevoel van nationale eenheid en 'volksgemeenschap'; eenheid ook en vooral tussen de Führer en de volgelingen. Alles wat afbreuk leek te doen aan dat jonge, vernieuwde Duitsland, aan deze eenheid van regime en volk, werd weggewerkt. Elke vorm van oppositie werd onderdrukt en tegenstrevende of onbetrouwbaar geachte elementen werden opgesloten in concentratiekampen. De massa liet dit liever niet tot zich doordringen.

Ook in andere landen waren fascistische bewegingen ontstaan. Hier waren de omstandigheden voor een greep naar de macht echter veel minder gunstig. De geestelijke en materiële ellende of de politieke instabiliteit waren minder groot ofwel de noodlottige combinatie van beide ontbrak. De leiders van deze bewegingen waren bovendien over het algemeen van kleiner kaliber dan Hitler of Mussolini. Ze waren er wel, en de fraaie schijn van het 'nieuwe' Italië of het 'nieuwe' Duitsland speelde hun politiek in de kaart.

De fascistische partijtjes die in het Nederland van de jaren twintig waren opgericht, hadden geen van alle een noemenswaard succes. Dit veranderde met de oprichting van de Nationaal-Socialistische Beweging, de NSB, op 14 december 1931, ruim een jaar voordat Hitler Rijkskanselier werd. De Leider was de waterstaatkundig ingenieur Anton Adriaan Mussert. Van alle leiders van de extreem-rechtse groeperingen leek Mussert misschien wel het minst op het type van de charismatische leider. Bij nader inzien is dit niet onbegrijpelijk. Wilde een fascistische beweging in Nederland een zekere omvang bereiken, dan moest zij 'inbreken' in het verzuilde politieke bestel. In het christelijk-conservatieve Nederland paste een keurige man als Mussert. Veel meer dan zijn fascistische concurrenten was hij het type van de serieuze en bekwame vakman, van de nette burgerjongen.

Uiteraard imiteerde Mussert zijn buitenlandse voorbeelden. Dat kwam onder meer tot uiting in de naamgeving en in de oprichting van een weerafdeling, de WA, die veel leek op de SA in Duitsland. De zwarte kleur van de uniformen was ontleend aan het Italiaanse fascistentenue. Ook hier is het echter noodzakelijk een onderscheid te maken tussen schijn en wezen. Ideologisch was de NSB in die beginjaren nog lang niet zo ver als de zusterpartijen. Men kan zich zelfs afvragen of de NSB toen al fascistisch of nationaal-socialistisch was.

Het uitgangspunt van de NSB was dat Nederland eens een groot en belangrijk land was geweest, dat zich sinds lang in staat van verval bevond. De nationale eenheid was zoek. Verantwoordelijk voor deze verloedering was de parlementaire democratie. Deze diende plaats te maken voor een krachtig gezag. Splijtzwammen als verzuiling en klassenstrijd moesten verdwijnen. Dat was het meest concrete dat de nieuwe beweging programmatisch te bieden had:

> 'Wij willen leven in een gezonde, gereinigde atmosfeer. Wij willen weer een volk worden, een gemeenschap met idealen en waar rechtvaardigheid zal heersen. Daarom ten strijde tegen de afbraak van de natie, de klassestrijd, de volksvergiftiging, het parlementair systeem.'

In alles was de NSB zeer vaag. Ondanks lange tirades tegen het kapitalistische systeem werden er over de vraag, hoe de samenleving economisch moest worden geordend, uitsluitend algemeenheden gedebiteerd. Ook over andere belangrijke maatschappelijke kwesties zweeg de NSB. Voor de volgelingen telde, dat de Leider geen blad voor de mond nam. Met de borsttoon van de vaste overtuiging zei Mussert, waar het in Nederland aan schortte:

> 'Voortgaande afbraak van ons bedrijfsleven [...] Verarming allerwege. [...] Toeneming van de schulden met honderden miljoenen. Toeneming van de werkloosheid van 200 000 tot meer dan 400 000. Uitgave van 20 miljoen gulden om de taal van de rode schoolmeesters [de spellingshervorming] in te voeren die te lui of te stom zijn om uw kinderen fatsoenlijk Nederlands te leren. [...] Inrichting van een concentratiekamp [het kamp Westerbork] om op onze kosten te onderhouden het uitschot van Europa dat ze eerst hier hebben binnengehaald als arme slachtoffers van boze Naziterreur. Voortgaande afbraak van onze weermacht. Toenemende terreur tegen allen die de natie liefhebben.'

Het was, volgens Mussert, de historische taak van de NSB deze afschuwelijkheden uit te bannen en de natie te herstellen:

> 'Het bedrijfsleven zullen wij bevrijden van de ordening voor de vriendjes. [...] De boeren zullen weer traditie-getrouw hun roeping kunnen volgen; arbeiders van hoog tot laag, van de directeur tot de loopjongen, zullen weer leren beseffen dat zij tezamen in harmonie een taak te vervullen hebben tegenover hun volk. Nieuwe welvaart zal worden opgebouwd [...] op de arbeid van een eensgezind, arbeidzaam, fatsoenlijk volk. Het jonge volk zal worden opgevoed: streng, krachtig, maar liefderijk. [...] Het weerbare volk zal zijn bodem, zijn vaderland, het imperium zo krachtig mogelijk verdedigen tegen ieder die onze zelfstandigheid of ons grondgebied wil aantasten. De krachtigsten zullen voorop staan, zullen voorgaan bij de wederopbouw, de anderen zullen volgen tot heil van geheel de natie.'

Een verlangen naar aansluiting van Vlaanderen bestond binnen deze beweging nauwelijks, tot verontwaardiging van fellere en kleinere fascistische partijtjes. In deze begintijd kwam antisemitisme in de NSB niet meer dan sporadisch voor, eveneens tot verontwaardiging van de echte nazi's. De NSB was in deze jaren een extreem-rechtse protestbeweging, die zich binnen de perken van het bestaande politieke bestel bewoog.

Dank zij deze vage en, internationaal gezien, gematigde opstelling behaalde de NSB bij de statenverkiezingen van 1935, terwijl de economische en sociale crisis een eerste hoogtepunt bereikte, een voor de verzuilde Nederlandse verhoudingen enorm succes: acht procent van de stemmen. In de NSB werd niet onderkend dat deze zeer gunstige uitslag te danken was aan het karakter van de NSB als protestpartij en voor een deel aan de economische successen van de grote Duitse zusterpartij, maar zeker niet aan de ideologische overeenstemming tussen NSB en NSDAP. In het Hoofdkwartier verkeerde men in de veronderstelling dat juist het fascisme en het nationaal-socialisme in de Beweging de kiezers hadden aangesproken. Hieruit werd de onjuist gebleken conclusie getrokken dat het fascistische karakter van de partij versterkt moest worden en dat de NSB zich solidair met alle fascistische en nationaal-socialistische bewegingen diende te verklaren. Op de landdag van de NSB te Loosduinen in oktober 1935 zei Mussert openlijk geheel achter Duitsland en Italië te staan, het Italië nota bene dat tegen de wereldopinie in Ethiopië binnenviel. Dit uit te spreken in een klein land zonder wereldpolitieke ambities, was een vergissing van de eerste orde, evenals het goedpraten en toejuichen van de nationaal-socialistische expansiedrift en agressie in de jaren daarna.

Het verkiezingssucces van de NSB bracht een reactie bij democratisch Nederland teweeg. Men was geschrokken en organiseerde – iedere zuil op haar eigen wijze – een felle oppositie tegen de NSB. De confrontatie tussen NSB en gevestigde orde escaleerde tot op de straat. Een eerste vicieuze cirkel van radicalisering, isolement en verdere radicalisering ontstond. Naarmate de reacties op de NSB feller werden, radicaliseerde de NSB. Zij nam meer ideologische bagage van het Derde Rijk over en werd antisemitischer. Daardoor riep de partij nieuwe tegenkrachten op.

Bij de verkiezingen van 1937 leed de partij een verpletterende nederlaag. Het stemmenpercentage was gehalveerd. Na deze desastreuze verkiezingen liepen de 'halven', de minder trouwe partijgenoten weg en bleven alleen de overtuigde aanhangers in de Beweging. Ook dat bevorderde de radicalisering. Het duidelijkste teken hiervan was het toetreden tot de partijleiding van Rost van Tonningen. Zijn benoeming accentueerde verder het steeds sterker wordende antisemitisme binnen de partij. Tegenover de radicalere oppositie door de zogenaamde 'volkse' richting in de NSB (die zich door de bloed-en-bodem-cultus van de Duitse nazi's liet inspireren) wist Mussert zich als Leider te handhaven. Alhoewel deze radicale stroming, waaruit later tijdens de bezetting de Nederlandsche SS zou voortkomen, wel sterk genoeg was om het Mussert lastig te maken en in Duitse richting te duwen, werd zij nooit sterk genoeg om het gros van de NSB'ers van zijn trouw aan de Leider af te brengen.

Al in de vooroorlogse jaren was de trouw aan de Leider een axioma geworden, een onderdeel van de fascistische cultuur die zich in de NSB ontwikkelde. Deze politieke cultuur kwam tot uiting in uniformering, landdagen en omgangsvormen en ritualiseerde zich sterker naarmate men zich meer van de vijandige buitenwereld afschermde en van een politieke partij verwerd tot een sekte, waarin de sfeer werd bepaald door geloofsijver en roddelarij.

Al voor de oorlog verkeerde de NSB in een politiek en geestelijk isolement. Er leek eigenlijk slechts één uitweg: hulp van het nationaal-socialistische Duitsland. Deze bleef echter uit. Directe hulp van beslissende betekenis was alleen mogelijk door een militaire invasie. Over de voorbereidingen daarvan lieten de Duitsers Mussert niets weten. Hebben de leden van de NSB op de inval gehoopt of deze toch gevreesd? Bij de Leider leefden voor de oorlog beide gevoelens.

II. De illusie van de macht (1940-1945)

Toen de legers van het Derde Rijk op 10 mei 1940 Nederland binnenvielen, bleek hoezeer de NSB al vereenzelvigd was met nazi-Duitsland – door henzelf en door de tegenstanders. Algemeen werd verondersteld dat de NSB'ers de invaller hielpen of dat zouden doen als zij daartoe de kans kregen, door van achteren op de eigen troepen te schieten of de Duitsers de weg te wijzen. Daarom werden duizenden NSB'ers geïnterneerd en in de paniek van het uur werden zeker tien van hen zelfs doodgeschoten. In werkelijkheid waren vele NSB'ers ook geschokt door de inval. Het verraad beperkte zich vrijwel tot een aantal in Duitsland woonachtige NSB-leden, die voor de inval door de Duitse militaire inlichtingendienst gerecruteerd waren. Maar het odium van landverraad rustte op alle NSB'ers en verbitterde hen.

Na de capitulatie van de Nederlandse troepen beschouwde de NSB de oorlog als afgelopen; samenwerking met de bezetter was geen verraad, meende men. Zowel de leden van de NSB als hun Leider verwachtten elk moment dat de bezetter hen aan de macht zou brengen. Als hun hoop ooit gerechtvaardigd was, was het toen, voordat men kon weten dat Hitler politieke collaborateurs uitsluitend wilde gebruiken en niets voelde voor een deling van de macht. Hitler installeerde geen kabinet-Mussert. Hij benoemde een Rijkscommissaris, dr. Arthur Seyss-Inquart, om het bestuur over de bezette Nederlandse gebieden over te nemen. Hitler was trouwens zo weinig geïnteresseerd in de NSB dat hij eind mei nog dacht dat Mussert in noord-Frankrijk was doodgeschoten. Pas op 5 juni 1940 ontmoette Mussert voor het eerst Seyss-Inquart en diens politieke adviseur, Fritz Schmidt. Voor zover de bezetters in deze fase belangstelling koesterden voor de NSB, gold deze eerder Rost van Tonningen, die nauwe relaties onderhield met de Reichsführer-SS Himmler.

Hoe breed de kloof was tussen Musserts ambities en de bedoelingen van de bezetters, bespeurde de Leider voor het eerst toen hij enkele dagen later bezoek kreeg van de Duitse SS-generaal Berger, die hem een bevel van Hitler doorgaf. Er zou een SS-regiment voor Nederlandse vrijwilligers worden opgericht, dat de omineuze naam 'Westland' zou dragen. Dit duidde op een opgaan van Nederland in het Derde Rijk, een constellatie waarin er voor een quasi-onafhankelijk Nederland met een eigen Leider geen plaats zou zijn. In een terecht vaak geciteerde passage uit zijn dagboek noteerde Mussert:

> 'Voelde dit alles als een klap in mijn gezicht. Beteekent dit inlijving? Gesproken met hem over de verhouding Nederland Duitschland als twee broedervolken van het Germaansche ras. Bleek mij dat de hoogste SS leiding het Nederlandsche volk als een Duitsch volk ziet. Het is ontzettend. Wat moet er van terechtkomen? Weigeren, dan speel ik in de kaart van hen, die ons volk willen inlijven.'

Op dit moment had het Mussert duidelijk moeten worden hoe zwak zijn positie was. Het leek erop dat het Duitse annexionisme, vertegenwoordigd in de SS, de beste politieke papieren had. In dat geval was Musserts doel: een nationaal-socialistisch doch zelfstandig Nederland, kansloos. Deze deprimerende conclusie wilde Mussert echter niet trekken. Hij onttrok zich daaraan door te blijven vertrouwen op het politieke fatsoen van Hitler, die hij zag zoals hij zichzelf wilde zien, als een kalm en verstandig staatsman. Weigeren, ermee ophouden wilde Mussert niet. In dit zeer prille stadium van de bezetting voerde hij een argument aan dat vele anderen na hem ook zouden hanteren en dat na de oorlog ter rechtvaardiging van collaboratie zou dienen. De beslissing om mee te werken werd gerechtvaardigd met de veronderstelling dat bij een weigering een 'slechtere' figuur, bijvoorbeeld een NSB'er, op de eigen plaats zou komen. Hier is het Mussert die meende medewerking niet te moeten weigeren, uit angst voor Rost of voor de SS, in ieder geval voor 'erger'. Zou bovendien een weigering van zijn kant zijn begrepen door zijn volgelingen? De getrouwen geloofden naïef en enthousiast, dat de Duitsers hen de macht zouden geven en hen belangeloos zouden helpen een Nieuwe Orde, een betere samenleving volgens NSB-begrippen te vestigen.

Op 22 juni kwamen duizenden NSB'ers naar het partijterrein op de Goudsberg bij Lunteren, waar Mussert hen vroeg: 'Acht gij u in oorlog met Duitsland, ja of neen?' 'Neen!' weerklonk het uit de menigte. 'Acht gij u bondgenoten van Engeland, ja of neen?' 'Neen!' Het was een manifestatie van onvoorwaardelijke verbondenheid met Duitsland en enthousiaste wil tot samenwerking, georganiseerd door een Leider die zelf hevige twijfels had. Tegen september 1940 raakten de Duitsers ervan overtuigd, dat hun geëxperimenteer met Musserts concurrenten minder opleverde dan zij aanvankelijk hadden verwacht. De aanhang van Rost binnen de NSB was te klein en buiten de partij was er weliswaar de grote Nederlandsche Unie, maar de massa der leden stelde zich zeer anti-NSB en ook anti-Duits op. Mussert zou dus een kans krijgen, maar hij moest dan wel een politieke Nederlandsche SS als afdeling van de partij accepteren. Die zou dus uiteindelijk onder Mussert ressorteren. Al gauw bleek dat Himmler de feitelijke machthebber over de Nederlandsche SS was. Himmler, die, naar Mussert meende in tegenstelling tot Hitler, Nederland bij Duitsland wilde inlijven! Eveneens bleek dat de Nederlandsche SS, juist omdat zij zich binnen de partij bewoog, een uitstekend pressiemiddel was om Mussert en zijn volgelingen steeds meer de Duitse kant, de echte nazi-kant op te duwen.

De essentie van de politieke geschiedenis van de NSB in bezettingstijd was de strijd tussen een enigszins gematigde meerderheid van trouwe Mussert-aanhangers en een radicale minderheid, die men in ieder geval SS-gezind mag noemen, ook al bestond deze groep niet uitsluitend uit leden van de Nederlandsche SS. Voor Musserts ideaal van een zelfstandig Nederland had deze SS-factie uitsluitend minachting. Het ging de SS'ers om een groot Germaans Rijk, waarvan uiteraard Duitsland het machtige kernland zou zijn.

Bij dit touwtrekken verloren Mussert en zijn volgelingen steeds meer terrein. Ook de innerlijke weerstanden tegen antisemitische maatregelen, dienstneming bij de Waffen-SS, aangeverij, verraad en het terroriseren van de eigen bevolking slonken meer en meer. Velen van Musserts volgelingen pasten zich met minder reserves aan de Duitse eisen en normen aan dan de Leider zelf. Ook als zij niet met SS-ideeën sympathiseerden, waren zij het vaak, die Mussert vooruitduwden.

De bezetters gebruikten de leden van de NSB om de Nederlandse samenleving gelijk te schakelen of althans te beheersen. Zij werden politieinspecteur, burgemeester of ambtenaar, zij bevolkten de instellingen van de Nieuwe Orde: de Kultuurkamer, de Artsenkamer, het departement van Volksvoorlichting en Kunsten, de Vrijwillige Hulppolitie (die later in de Landwacht overging). Zij kregen meer en meer vat op de Arbeidsdienst, op de pers en de radio. De NSB vormde het reservoir voor NSKK en Waffen-SS. NSB'ers bespioneerden en verraadden hun medeburgers. Voor de gelijkschakeling en later voor de oorlogsinspanning waren zij de noodzakelijke, inheemse hulpkrachten, die werden uitgespeeld tegen Nederlandse niet-NSB'ers die met de bezettende macht samenwerkten. Tot een keuze tussen deze twee groepen konden de bezetters niet komen. Dat was niet in hun belang. De Duitsers hadden baat bij verdeeldheid en wedijver tussen de individuen en groepen die tot aanpassing en collaboratie bereid waren.

De collaboratie geschiedde door de NSB'ers vaak met inzet en enthousiasme, soms ook aarzelend en met gemoedsbezwaren: 'Gegaan ben ik uit plicht, geroepen door den Leider, zonder dezen oproep was ik nooit gegaan,' schreef een NSB'er die zich voor de Waffen-SS had aangemeld in zijn dagboek. Dat Mussert zelf zijn aarzelingen had, drong niet door, omdat de Leider de Duitsers vrijwel nooit openlijk durfde af te vallen. De enkele keer dat hij het deed, nam hij, geschrokken van eigen durf en zwichtend voor Duitse dreigementen en beloften, snel publiekelijk de houding aan van Hitlers trouwste bondgenoot.

De belangen van de NSB en de Duitsers waren niet identiek. Beide partijen raakten niettemin meer en meer op elkaar aangewezen gedurende de bezettingsjaren. De Duitsers en met name de SS trokken hierbij aan het langste eind. Hoewel Mussert voor de collaboratie van zijn partij geen politieke beloning kreeg, behield hij een onbegrensd vertrouwen in Hitler, die naar hij meende door de annexionistische SS werd bedrogen. In zijn geloof in het sprookje van de goede koning met de boze raadgevers hechtte Mussert eraan om bij Hitler als trouwe paladijn te boek te staan. Maar zelfs om een enkele keer toegang tot Hitler te verkrijgen, moest hij concessies doen.

In december 1941 reisde Mussert naar Berlijn, waar hij aan Hitler persoonlijk de eed van trouw aflegde. Ondanks zijn pretentie een zelfstandig volk te vertegenwoordigen, maakte de Leider van de NSB zichzelf tot volgeling van de Führer. Blijkbaar besefte Mussert zelf de enormiteit hiervan, want deze eed werd nog minstens een jaar voor de leden van de NSB geheim gehouden. De eis die Mussert oorspronkelijk had gesteld, namelijk dat de NSB de controle over de Nederlandse politie zou krijgen, werd niet ingewilligd. Wel hieven de bezetters de andere nog bestaande fascistische partijtjes op en geboden de leden ervan zich aan te sluiten bij de NSB. Ook deze steun werkte meer in het voordeel van de Duitsers dan van de NSB. De SS-factie in de NSB werd in niet geringe mate versterkt.

In de loop van 1942 werd de NSB-leiding ongeduldig over haar gebrek aan werkelijke macht. De Noorse nazi-leider Vidkun Quisling was in februari van dat jaar aan het bewind gekomen. Wanneer kwam er eindelijk een NSB-regering in Nederland? In de ogen van de Duitsers, die niet van plan waren macht af te staan, moest de NSB dat eerst 'verdienen'; eerst moest de Beweging groter worden en meer mannen aan de Waffen-SS leveren. Zij had zichzelf nog niet voldoende bewezen. Zo werd de schijn gewekt dat niet de Duitsers maar Mussert en de NSB in gebreke bleven.

Toch meende tegen het einde van dat jaar althans de Rijkscommissaris Seyss-Inquart, dat men de NSB, die in december haar 11-jarig bestaan zou vieren, een geschenk moest geven. Misschien ook omdat de Rijkscommissaris zelf verontrust was door de groeiende macht van de SS. Mussert mocht weer een bezoek aan Hitler brengen, wat als steeds hoofdzakelijk eerbiedig luisteren betekende. Hitlers uitspraak tijdens Musserts bezoek in december 1942: 'Ik zie in u, meneer Mussert, de Leider van het Nederlandse volk', werd door Seyss-Inquart voorzichtig politiek vertaald. Mussert mocht een commissie van 'Gemachtigden van den Leider' samenstellen, een soort schaduwkabinet en een daarbij behorende Secretarie van Staat. Het leek een aanloop te zijn tot een inheemse nazi-regering.

Juist toen voltrok zich de grote wending in het militaire verloop van de oorlog. Het Duitse leger in Stalingrad moest capituleren. De overgrote meerderheid van de Nederlandse bevolking hoopte nu op een spoedige ineenstorting van Duitsland. Die hoop ging evenwel gepaard met de angst dat in de korte tijd die de Duitsers nog hadden een haastig gevormde regering-Mussert de algemene dienstplicht zou invoeren en hele lichtingen jonge mannen zou dwingen tot deelname aan de oorlog tegen de Sovjet-Unie. Musserts Gemachtigde generaal Seyffardt, die de belichaming van deze gedachte leek, werd door het verzet doodgeschoten. Aanslagen op andere prominente NSB'ers volgden.

Aan de fronten in Rusland en Noord-Afrika stonden de Duitsers er nu zichtbaar slecht voor. In Nederland nam de Duitse repressie toe. Daarmee groeide ook de weerzin van de bevolking tegen de Duitsers en de NSB, evenals verzet en sabotage. Deze aanslagen waren niet alleen op prominente NSB'ers gericht. Ook de gewone NSB'er liep een kans te worden geliquideerd. Het meeregeren van de NSB bleek in de praktijk vrijwel niets te betekenen.

Eind april 1943 maakte de Duitse militaire bevelhebber in Nederland bekend dat het hele voormalige Nederlandse leger in krijgsgevangenschap zou worden teruggevoerd. De bevolking reageerde daags daarop met stakingen, die in Twente begonnen en in enkele dagen een landelijk karakter kregen. Ze werden door de Duitsers bloedig onderdrukt. Deze situatie van directe confrontatie bracht in de NSB een sfeer van wanhoop en vertwijfeling. Iedereen haatte de NSB. Van de Duitse beloften, laat staan van de eigen verwachtingen, was niets terechtgekomen. Een 'anti-Duitse' stemming maakte zich meester van de NSB en niet het minst van haar Leider.

In een rede, die Mussert op 5 juni te Utrecht hield voor het NSB-kader, was een duidelijk weerspannige toon te horen, die door het grootste deel van de aanwezigen met instemming werd ontvangen. Wederom richtte Mussert zich vooral tegen de SS met haar 'groot-Duitse imperialisme' en met name tegen de Nederlandse SS, zonder werkelijk met nazi-Duitsland te willen of te durven breken. Dat was misschien ook wat veel gevraagd van een Leider van nationaal-socialisten.

Deze min of meer 'anti-Duitse' humeurigheid van de Leider en zijn volgelingen duurde niet lang. In de eerste plaats verongelukte Seyss-Inquarts politieke raadgever Schmidt door een val uit de trein. Mussert had hem volkomen ten onrechte voor een onbaatzuchtige vriend van Nederland en de NSB gehouden. Bang geworden vermoedde Mussert achter het ongeluk de moordenaarshand van de SS. Ten tweede brachten de Duitsers met forse politieke pressie Mussert ertoe zich in het openbaar met de Nederlandse SS te verzoenen. Het belangrijkste was echter dat uit de reacties van bevolking en illegale pers bleek, dat distantiëring van de bezetter de NSB geen greintje respect opleverde, alleen meer verachting en leedvermaak. De NSB besefte dat haar lot volledig verbonden was met dat van nazi-Duitsland. Het enige dat de partij restte, was alles op alles te zetten voor de Duitse overwinning.

Hitler zou tot het uiterste gaan, zelfs als dat de ondergang van hemzelf en zijn Derde Rijk zou betekenen. Niet alleen Hitlers persoonlijkheid, ook de nationaal-socialistische leer droeg deze sterke tendens tot radicalisering in zich. 'Beweging' en 'actie' stonden hoog in het nazi-vaandel geschreven; 'beweging' werd in alle vaagheid als kernbegrip van de leer opgevat en het menselijk bestaan werd op vulgair-darwinistische wijze beschouwd als een voortdurende strijd. Het was overleven of sterven. Was de situatie uitzichtloos, dan kwam het er op aan in de eigen ondergang zoveel mogelijk vijanden met zich mee te slepen.

Al aan het begin van de tweede wereldoorlog verklaarde Hitler dat hij met een laf, verraderlijk thuisfront wel raad zou weten. Dat was geen grootspraak. Toen op 20 juli 1944 een complot van Duitse officieren, die Hitler uit de weg wilden ruimen om een einde te maken aan de uitzichtloze oorlog, mislukte, hield Hitler opruiming onder zijn officierskorps. Er vielen honderden slachtoffers. De Duitse bevolking was bevreesd voor Gestapo en concentratiekamp. Weinig mensen durfden een andere mening dan de officiële te uiten, zelfs in de kring van familie en vrienden. Elke enigszins afwijkende uitspraak zou als 'defaitisme' of 'ondermijning van de weerbaarheid van het Duitse volk' uitgelegd kunnen worden. Meestal stond daar de doodstraf op.

Maar het was niet in de eerste plaats de terreur van partij en SS die de Duitsers hardnekkig deed vechten tot het bittere einde, tot het eigen land een woestenij was geworden en Hitler zelfmoord had gepleegd. Het Duitse volk was sinds 1943 het doel van een intensieve indoctrinatie geweest. 'Wir kapitulieren nie!' stond op muren en ruïnes van huizen te lezen. De minister van propaganda Josef Goebbels hamerde er voortdurend op dat het leven voor de Duitse burgers na een bolsjewistische overwinning erger zou zijn dan de dood. Ook van het westen konden de Duitsers niet veel goeds verwachten. Goebbels wist handig gebruik te maken van de eis tot onvoorwaardelijke overgave die Churchill en Roosevelt in 1943 hadden gesteld, en van de onophoudelijke luchtbombardementen waarmee de geallieerden dachten de Duitsers tot opgeven te dwingen.

Vreesden de Duitsers de buitenlandse vijand, de NSB'ers waren vooral bang voor hun binnenlandse vijanden. Het was hun duidelijk geworden dat zij door hun landgenoten diep gehaat werden. In de tweede helft van 1943 radicaliseerden Mussert en de NSB in hun collaboratie. Nu men het Nederlandse volk niet kon winnen, moest het in ieder geval onder controle worden gehouden in het belang van de Duitse oorlogsinspanning, die ook het belang van de NSB was geworden. Zowel Mussert als zijn volgelingen begrepen, dat hun lot onverbrekelijk met dat van het Duitse nationaal-socialisme verbonden was.

Het politieke leven in de NSB bloedde dood, nu de NSB'ers werden verspreid over alle overheidsorganen, maatschappelijke organisaties en hulpkorpsen die door de bezetters werden gevormd. Het leveren van mensen was de enige bestaansreden van de NSB geworden.

III. Radicalisering en terreur

In het voorjaar van 1943 was een nieuwe Waffen-SS-eenheid gevormd voor Nederlandse vrijwilligers. Deze eenheid zou alleen in Nederland worden ingezet 'voor den afweer van buitenlandsche of binnenlandsche vijanden', zoals het in de oprichtingsverordening van de Rijkscommissaris heette. Hoewel tot deze eenheid, later bekend als de Landstorm Nederland, vele a-politieke vrijwilligers toetraden, lag het percentage NSB'ers heel wat hoger dan in de Waffen-SS-eenheden met Nederlandse vrijwilligers die aan het oostfront streden. Stellig is de belofte aantrekkelijk geweest, dat de Landstormers niet buiten Nederland zouden worden ingezet.

Aan deze belofte hielden de Duitsers zich niet helemaal. In de septemberdagen van 1944, toen de geallieerden de Nederlandse grens naderden, werden delen van de Landstorm ingezet aan het front langs de kanalen in noord-België. Na de slag bij Arnhem werd de eenheid uitgebreid met een bataljon Nederlandse vrijwilligers, die als bewakers van het concentratiekamp Amersfoort gediend hadden, en met zeer vele lieden, die hoopten op deze wijze aan onderdak en vooral aan voedsel te komen. Nog in de allerlaatste fase van de oorlog zou de Landstorm de Betuwe en de Utrechtse heuvelrug fanatiek tegen de oprukkende geallieerde troepen verdedigen. Zelfs na 5 mei 1945 werden gevechten met verzetsstrijders geleverd.

In het voorjaar van 1944 was de Nederlandsche Landwacht opgericht, een soort hulppolitie, waarvan uitsluitend leden van de NSB deel konden uitmaken. Twee motieven lagen aan de vorming van dit korps ten grondslag. In de loop van 1943 begonnen veel NSB'ers voor hun leven te vrezen. De moordaanslagen, die het verzet reeds vanaf het begin van dat jaar op collaborateurs van allerlei soort pleegde, rechtvaardigde die angst ook enigszins. Hoewel het nimmer tot massaal fysiek geweld tegen NSB'ers kwam, was de angst groot genoeg om in de NSB een algemene roep om zelfbewapening te doen ontstaan.

De Höhere SS- und Polizeiführer Rauter speelde handig op die angst in. Zijn doel was de vorming van een politionele formatie die betrouwbaarder was dan de Nederlandse politie, waarvan steeds meer leden onderdoken, vaak met medeneming van hun uniform en wapen. Bovendien dacht Rauter niet ten onrechte dat een dergelijk korps tevens een doorgangsplaats kon zijn naar de Waffen-SS. De nieuwe formatie zou een 'zelfbeschermingsorganisatie' van de NSB zijn. Daarnaast zou zij politietaken vervullen en onder het gezag van Rauter vallen. Men kon lid worden van de Beroepslandwacht, of men kon toetreden tot de Hulplandwacht om een aantal uren van de week dienst te doen. Vóór september 1944 telden deze onderdelen respectievelijk ongeveer 1250 en 8800 man. Bij elkaar dus een 10 000; geen gering aantal gezien het feit dat zeer vele mannelijke NSB-leden al in de Waffen-SS, het NSKK, of andere organisaties waren opgenomen. Meer en meer degenereerde de Landwacht tot een hulpbende bij de razzia's van SD en Grüne Polizei. Van de zelfbescherming daarentegen kwam bijzonder weinig terecht.

Het einde kwam omstreeks 5 september 1944, Dolle Dinsdag, toen de geallieerde troepen Nederland naderden en Nederland binnen enkele dagen of zelfs uren bevrijd leek te worden. Paniek greep de NSB'ers aan en niet alleen hen; ook bij het Rijkscommissariaat en andere Duitse instellingen raakte men volledig in verwarring. Vlucht leek de enige uitweg. Vrouwen en kinderen van NSB'ers werden haastig naar noord-Duitsland geëvacueerd, waar de meesten van hen in slecht geoutilleerde kampen werden ondergebracht; een aantal van hen zou daar overlijden. De mannelijke NSB-leden werden door Mussert opgeroepen om dienst te doen in Landstorm of Landwacht, waarvan een groot aantal leden gevlucht was.

In het laatste halve jaar van de oorlog bestonden er in feite geen politiek, geen politieke collaboratie en geen NSB meer. Alleen de kwaadste schimmen van de Beweging lieten zich in de hongerwinter zien. Er was de Landstorm, die zich opmaakte voor de eindstrijd en al vast in haar legeringsgebied een aantal Nederlandse burgers doodschoot. En de Landwacht, die nu ongeremd bij Duitse razzia's te keer ging, roofde en op eigen vuist het verzet bestreed. 'Hier is geen liefde meer voor ons volk. Hier leeft nog alleen maar de wensch te voorkomen, dat de tegenstander nog iets overgelaten wordt,' schreef de chef-staf van de Landwacht in een brief aan Mussert uit februari 1945. De Landwacht was, in haar eigen struikroversstijl, aangeland bij het logische eindpunt van het nationaal-socialisme: de wil om in het zicht van de ondergang alles te vernietigen.

IV. In plaats van bijltjesdag

Na de bevrijding maakte zich van de bevolking een arrestatiewoede meester. Tienduizenden NSB'ers werden aangegeven, opgepakt, opgebracht en geïnterneerd in provisorisch ingerichte kampen. Een deel daarvan was zonder twijfel slecht te noemen, zowel organisatorisch als materieel. Het kwam tot mishandelingen op aanzienlijke schaal, zeker tijdens de eerste maanden na de bevrijding; niet tot bloedvergieten, laat staan tot moordpartijen. Blokzijl en Mussert werden na haastige processen gefusilleerd; Rost van Tonningen pleegde zelfmoord in de gevangenis. De andere kant van de medaille is dat lichte gevallen in het algemeen niet zwaar werden bestraft en een indrukwekkend reclasseringsapparaat in werking is gezet. In internationaal vergelijkend perspectief lijkt het politieke beleid ten aanzien van de voormalige NSB'ers niet onbarmhartig te zijn geweest.

Ondanks onmiskenbare tekenen van maatschappelijke onverdraagzaamheid, juist ten opzichte van kinderen uit NSB-gezinnen, slaagden veel, misschien wel de meeste ex-NSB'ers er na hun bestraffing en reclassering in weer een redelijk bestaan op te bouwen. Van een verbanning uit de gemeenschap was geen sprake, wel van een zekere discriminatie. Maar deze was niet zo sterk of zo frustrerend, dat de ex-NSB'ers 'door de maatschappij' opnieuw in een politiek extremistische richting werden gedreven. Vermoedelijk niet meer dan een beperkt aantal getrouwen hield aan de idealen van vroeger vast. Veelal niet uit politieke motieven maar op persoonlijke gronden, zoals de voor buitenstaanders moeilijk te begrijpen nostalgie naar de oostfronttijd.

Het conformistische antifascisme van de jaren '60 en '70 leidde niet tot een tweede bestraffing van de politieke collaboratie van de NSB. Het was primair gericht tegen de niet-politieke collaborateurs binnen het establishment. De onzinnige neiging van toen iedere politieke tegenstander voor fascist uit te willen maken, heeft de nuancering van het oordeel over de politieke collaborateurs niet in de weg gestaan. Naast het oude cliché van de NSB'er als landverrader ontstond een nieuw cliché, dat van de NSB'er als misleid slachtoffer van de economische crisis van de jaren dertig.

Alhoewel de historisch onverdedigbare gelijkstelling van NSB en 'fout' in brede kringen is blijven bestaan, kwam het in het justitiële apparaat en in de literatuur al tamelijk vroeg tot meer begrip voor de politieke delinquent. In de geschiedwetenschap over de NSB ontstond een meer objectiverende, minder retorische kijk wat later, in de tweede helft van de jaren zestig. Op de politiek, de justitie, de reclassering, de literatuur en de historische wetenschap volgde de televisie met grote afstand. Pas in 1992 konden ex-NSB'ers via dit medium terugblikken op hun leven.

De onschuldige betrokkenen, te weten de kinderen van de politieke delinquenten, voelen zich achtervolgd door het verleden en zijn hierdoor getraumatiseerd. Dit is het sterkste argument voor de stelling dat de door de sociale omgeving opgelegde straf soms buiten proportie en beschamend hard is geweest. Of de 'sfeer van onaanraakbaarheid' (A.A. de Jonge, 1987) die de NSB'ers heeft omgeven nu geheel is verdwenen, kan blijken uit de reacties op dit televisieprogramma en op dit boek.

V. Literatuur

De televisiedocumentaire en het bijbehorende boek en in het bijzonder deze uitleiding waren niet mogelijk geweest zonder de hierboven in het algemeen aangeduide wetenschappelijke studies van de geschiedenis van NSB en de collaboratie. Bij wijze van verantwoording en ter informatie van de lezer die zich in deze geschiedenis wil verdiepen, willen wij besluiten met een lijst van literatuur over de NSB. Deze werken zijn zonder uitzondering van hoog gehalte.

Overzichtswerken:
Een algemeen overzicht van de politieke geschiedenis van de NSB is A.A. de Jonge's *Het nationaal-socialisme. Voorgeschiedenis, ontstaan en ontwikkeling*, Assen 1968, herdruk 1979. In *Het Koninkrijk der Nederlanden in de Tweede Wereldoorlog*, delen I-XIII, Den Haag 1968-1988, van L. de Jong wordt – natuurlijk – op basis van nieuw onderzoek de geschiedenis van de NSB en de 'foute sector' als geheel gepresenteerd. Een populariserend overzicht is: J. Zwaan en A. Zondergeld-Hamer (red.), *De Zwarte Kameraden. Een geïllustreerde geschiedenis van de NSB*, Weesp 1984. De vraag naar het tijdens de meidagen gepleegde verraad is uitvoerig belicht door L. de Jong in *De Duitse Vijfde Colonne in de Tweede Wereldoorlog*, Den Haag 1953, 2e druk Amsterdam, 1977.

Mussert:
Verrader voor het Vaderland. Een biografische schets van Anton Adriaan Mussert, Den Haag 1978, is een goed leesbare biografie door R. Havenaar. Een meer apologetische strekking heeft J. Meijers, *Mussert. Een politiek leven*, Amsterdam 1984. Voor Musserts proces zie *Het proces-Mussert*, Den Haag 1948, 2e druk zonder jaartal. Ook gaf het RIOD uit: *Vijf Nota's van Mussert aan Hitler over de samenwerking van Duitschland en Nederland in een bond van Germaansche Volkeren 1940/1944*, Amsterdam/Den Haag 1947.

Rost van Tonningen/SS:
De inleiding van het eerste deel van de *Correspondentie van mr. M. M. Rost van Tonningen (1921-1942)*, Amsterdam 1967, dat verscheen onder redactie van E. Fraenkel-Verkade met grote steun van A.J. van der Leeuw, houdt een schat van informatie in over de persoon van Rost. Het tweede deel, dat de tweede oorlogshelft beslaat, wordt bezorgd door N.D.J. Barnouw en verschijnt in de eerste helft van 1993. *De SS en Nederland. Documenten uit SS-archieven 1935-1945*, 2 delen, Den Haag 1976, inleiding herdrukt in 1990, van N.K.C.A. in 't Veld (red.) is een in alle betekenissen van het woord uitputtende studie. Havenaar schreef ook *De NSB tussen nationalisme en 'volkse' solidariteit. De vooroorlogse ideologie van de Nationaal-Socialistische Beweging in Nederland*, Den Haag 1983. Leden van de voormalige SS komen aan het woord in: Armando en H. Sleutelaar, *De SS'ers. Nederlandse vrijwilligers in de tweede wereldoorlog*, Amsterdam, 1967. Een overzicht voor een groot publiek is: S. van der Zee, *Voor Fuehrer, volk en vaderland. De SS in Nederland*, Alphen aan de Rijn, 3e druk 1979.

Andere prominente NSB'ers:
Over de radiopropagandist Blokzijl verscheen R. Kok, *Max Blokzijl. Stem van het nationaal-socialisme*, Amsterdam 1988. Het leven van Van Geelkerken is geschetst door B. van der Boom in diens *Cornelis van Geelkerken*, z.p., z.j. Zie ook *Max Blokzijl: zijn berechting, veroordeeling en executie*, Amsterdam 1946, en *Het proces-R. van Genechten*, Amsterdam 1946.
Politie:
De kwestie van de Schalkhaarders komt uitvoerig aan de orde in: J.J. Kelder, *De Schalkhaarders. Nederlandse politiemannen naar nationaal-socialistische snit*, Utrecht 1990.

Lokale studie's:
De belangrijkste studie over de NSB op lokaal niveau, en het eigenlijke begin van het wetenschappelijk onderzoek op dit terrein, is geschreven door de sociograaf G.A. Kooy, *Het echec van een 'volkse' beweging. Nazificatie en denazificatie in Nederland, 1931-1945*, Assen 1964, 2e druk 1982. Interessant is: S.Y.A. Vellenga, *Katholiek Zuid-Limburg en het fascisme. Een onderzoek naar het kiesgedrag van de Limburger in de jaren dertig*, Assen 1978.

Naoorlogse periode:
De krachtens de naoorlogse bijzondere rechtspleging tegen NSB'ers genomen maatregelen komen aan de orde in: A.D. Belinfante, *In plaats van bijltjesdag. De Geschiedenis van de Bijzondere Rechtspleging na de Tweede Wereldoorlog*, Assen 1978. Zie bepaald ook P. Romijn, *Snel, streng en rechtvaardig. Politiek beleid inzake de bestraffing en reclassering van 'foute' Nederlanders, 1945-1955*, z.p. 1989. Populariserend zijn: K. Groen, *Landverraders. Wat deden we met ze? Een documentaire over de bestraffing en berechting van NSB-ers en kollaborateurs en de zuivering van pers, radio, bedrijfsleven na de Tweede Wereldoorlog*, Baarn 1974, en *Landverraad. De berechting van collaborateurs in Nederland*, Weesp 1984, van dezelfde auteur. De geschiedenis van de weinige NSB'ers en SS'ers die volhardden komt aan de orde in: J. van Donselaar, *Fout na de oorlog. Fascistische en racistische organisaties in Nederland 1950-1990*, Amsterdam 1991.

Literatuuroverzicht:
Wie belangstelling heeft voor een meer compleet en diepergravend overzicht van de historiografie over het Nederlands fascisme en nationaal-socialisme vindt dit in: A.A. de Jonge, 'Het fascisme en nationaal-socialisme', in: P. Luykx en N. Bootsma (red.), *De laatste tijd. Geschiedschrijving over Nederland in de 20e eeuw*, Utrecht, 1987.

Benito Mussolini.

De Waalse fascistenleider Léon Degrelle.

Vidkun Quisling, leider van de Noorse nationaal-socialisten.

De crisis van de jaren dertig zoals de NSB haar zag: een monster gecreëerd door vakbondsbonzen.